LE DROIT DE LA RADIO
ET DE LA TÉLÉVISION

OUVRAGES DU MÊME AUTEUR

Procédure administrative contentieuse et procédure civile, L.G.D.J., 1962, 467 p. (épuisé).

La République tunisienne, L.G.D.J., 1962, 229 p.

Institutions administratives, L.G.D.J., 1966, 326 p.

Traité du droit de la radiodiffusion (radio et télévision), L.G.D.J., 1968, 607 p.

Droit administratif, Ed. Cujas, 1969, 544 p.

L'Administration au pouvoir ? Politiques et fonctionnaires sous la V° République, Calmann-Lévy, 1969.

Les grands textes administratifs (en collaboration avec M. PINET), Sirey (sous presse).

« QUE SAIS-JE ? »

LE POINT DES CONNAISSANCES ACTUELLES

N° 1360

LE DROIT DE LA RADIO ET DE LA TÉLÉVISION

par

Charles DEBBASCH

*Professeur à la Faculté de Droit
et des Sciences économiques d'Aix-Marseille*

PRESSES UNIVERSITAIRES DE FRANCE

108, Boulevard Saint-Germain, Paris

—

1969

Dépôt légal. — 1re édition : 3e trimestre 1969
Tous droits de traduction, de reproduction et d'adaptation
réservés pour tous pays
© 1969, *Presses Universitaires de France*

INTRODUCTION

Le droit de la radio et de la télévision est-il
autre chose qu'une espérance ? On serait tenté de
le penser. Dans la plupart des pays, le fonctionnement de la radio et de la télévision obéit largement à l'empirisme. Les problèmes juridiques
soulevés par l'activité des entreprises de radio et
de télévision sont esquivés ou traités dans le mépris
du droit. Dans le même temps, les critiques les
plus vives sont adressées à ces entreprises, auxquelles on fait grief de leur servilité à l'égard du
pouvoir politique ou de toute autre puissance.
Comment ne pas comprendre que ceci procède
de cela ? Comme dans bien d'autres domaines,
l'homme, merveilleux découvreur de techniques,
s'est révélé incapable de les dominer. L'existence
et l'expansion de la radio-télévision ont précédé la
maîtrise intellectuelle de ces moyens de diffusion.
Faute de n'avoir pas su dominer la radio et la
télévision, les citoyens risquent d'être asservis par
elles.

On ne peut pas ne pas être frappé par *l'expansion*
croissante de la radio et de la télévision. Radio et
télévision sont aujourd'hui en voie d'atteindre un
nombre de personnes qui va s'élargissant jusqu'aux
limites des collectivités nationales et même de la
communauté mondiale. Il y avait en France,
pendant l'année 1949, 6 millions et demi de récep-

teurs radio et 297 téléviseurs (1). On trouve aujour-
d'hui plus de seize millions de postes et près de neuf
millions de téléviseurs. Ce succès doit encourager
les gouvernants à susciter des solutions juridiques
qui tiennent compte de la nature *technique* particulière de la radio et de la télévision. La radiodiffusion permet en effet de transmettre à longue
distance des émissions sonores (radio) ou des émissions sonores et visuelles (télévision) destinées à
être reçues directement par le public. Tout pos-
sesseur d'un récepteur peut ainsi recevoir ces
programmes. A partir d'une émission unique, il est
possible d'atteindre un public illimité.

Ces caractères originaux expliquent que tous les
efforts pour appliquer à la radiodiffusion des
régimes juridiques prévus pour d'autres activités
aient échoué. A l'origine, on a confondu la radiodiffusion et les autres moyens de télécommuni-
cation. Aussi, on a tendu à lui appliquer le régime
jusqu'alors en vigueur pour les transmissions *télégraphiques* sans se rendre compte que celui-ci
n'était valable que pour des relations privées alors
que la radiodiffusion permet des communications
publiques. La ressemblance technique a favorisé
une assimilation que la considération de l'activité
spécifique de la radiodiffusion eût dû permettre
d'écarter. Certains Etats se sont également reposés
sur les dispositions législatives applicables à la
presse ou au cinéma. Cette extension méconnaît
également l'originalité de la radiodiffusion. Celle-ci
s'adresse à un public *indéterminé* alors qu'il est

_____

(1) En Europe, la Suède détient le plus de postes de télévision
par centaine d'habitants : 28,67. On trouve ensuite le Royaume-
Uni (27,36), le Danemark (24,47), l'Allemagne fédérale (23,02),
l'Allemagne de l'Est (22,83). La France ne vient qu'au dixième rang
(16,61).

possible d'identifier celui de la presse ou du cinéma
(comment interdire certaines émissions de radiodiffusion aux mineurs de 18 ans). Elle concerne
un public pratiquement *illimité* alors que la presse
a une audience restreinte à son tirage, le cinéma
à la dimension des salles. La radiodiffusion peut
reposer sur des programmes en direct qui ne laissent
pas de traces alors que la presse et le cinéma sont
portés par des objets matériels (on ne peut apporter
la preuve du contenu d'une émission de radiodiffusion dans les mêmes conditions que celui d'un
journal ou d'un film).

La radiodiffusion exige une discipline propre qui
tienne compte de sa portée internationale et nationale. Radio et télévision ignorent les frontières.
Les ondes franchissent les barrières douanières sans
que l'Etat récepteur accomplisse un acte positif
pour les agréer. Une réglementation internationale
de la radiodiffusion paraît ainsi inévitable. Sur le
plan national, la résonance même de ces techniques
de diffusion exige une réglementation. L'image
et le son servent de véhicule à la culture, à l'information, au divertissement avec une puissance de
conviction inégalée. Le son en radiophonie et
surtout le son et l'image en télévision conduits sur
chaque point du territoire, au foyer même des
auditeurs et des téléspectateurs, transportent une
réalité vivante alors que la presse momifie les
événements dans l'écrit, que le cinéma les restitue
avec retard dans le climat artificiel d'une salle de
spectacles.

Le droit de la radiodiffusion doit ainsi tenir
compte de ces caractères particuliers de la technique
à laquelle il s'applique. La radiodiffusion apparaît
comme une activité de service public qu'il faut
soustraire à toute espèce d'arbitraire, qu'il vienne

des gouvernants ou de puissances privées. A travers elle, c'est, en effet, la liberté de l'homme qui est en jeu ; une des libertés les plus importantes aujourd'hui, celle de communication des idées, des informations, des loisirs. C'est pourquoi le droit de la radio et de la télévision vit largement dans l'orbite du *droit public* : sans doute la prise en charge du service public de radio et de télévision par l'Etat est plus ou moins étroite selon les pays ; elle n'est cependant jamais absente. Ce n'est qu'accessoirement que ce droit se situe dans l'orbite du droit privé pour régir les relations de l'entreprise de radio et de télévision avec les personnes privées qui, de manière variée selon les Etats, permettent la production des émissions.

On s'attachera à montrer dans cet essai que si dans beaucoup d'Etats la réglementation de la radio et de la télévision est encore imparfaite, il est d'ores et déjà possible de reconstituer avec les différentes législations nationales et internationales le puzzle du droit de demain. On en suivra l'édification à travers le statut de l'entreprise, celui de la production et enfin le régime international de la radiodiffusion. Jusqu'ici le juriste s'est essoufflé à la poursuite du technicien, il lui appartient désormais de prouver que, si le technicien est le magicien des ondes, il peut, lui, en procurer la domination à la société.

PREMIÈRE PARTIE

L'ENTREPRISE DE RADIO ET DE TÉLÉVISION

La structure de l'entreprise de radio et de télévision doit lui permettre d'assumer un service de qualité dans le respect des exigences d'intérêt général. Il s'agit de préciser les rapports de l'organisme de radiodiffusion et de l'Etat (Chapitre Premier), d'établir s'il est préférable d'opter pour le monopole ou la concurrence (Chapitre II). On doit, enfin, assurer à l'entreprise un financement qui ne compromette pas son autonomie (Chapitre III).

Chapitre Premier

L'ENTREPRISE DE RADIODIFFUSION ET L'ÉTAT

La libération de la radiodiffusion de l'emprise étatique constitue, dans de nombreux Etats, un thème majeur des débats politiques. On insiste sur la déformation produite dans le jeu politique par l'asservissement de la radiodiffusion au gouvernement. La radio, et surtout la télévision, constitueraient des armes absolues permettant à un parti de se maintenir au pouvoir. Pourquoi les fonctions d'information, de culture et de distraction remplies par la radiodiffusion ne sont-elles pas soumises au même régime que les missions analogues assurées par la presse ? La libre initiative privée qui règne pour les journaux ne peut-elle être appliquée à la radiodiffusion ?

Cet idéal se révèle impraticable. Des impératifs techniques, relayés par une motivation politique, expliquent la différence dans l'intervention de l'Etat à l'égard de ces deux moyens d'expression.

L'assimilation faite, à l'origine du développement de la radio, entre les télécommunications et la radiodiffusion explique l'intervention de l'Etat en ce dernier domaine. Les télécommunications considérées comme indissolublement liées à la sécurité publique avaient été soumises à la domination étatique et on a tendu à appliquer le même régime à la radio.

Au demeurant, sur le plan technique, alors que rien ne s'oppose au développement des imprimeries, la multiplication des réseaux de radio et de télévision est impossible. Des accords internationaux répartissent les fréquences et les Etats auxquels elles se trouvent attribuées ont ainsi tendance à en conserver l'usage pour eux-mêmes.

Politiquement, c'est la puissance que donne la radiodiffusion à ceux qui en disposent qui incite l'Etat à intervenir directement en ce domaine. Au-dessus d'un certain degré d'efficacité toutes les techniques tendent à devenir publiques. La radiodiffusion peut permettre d'établir le pouvoir ou de le remettre en cause. Tout coup d'Etat bien organisé commence aujourd'hui par la prise des émetteurs. On comprend que l'Etat se méfie de la puissance que donnerait à certaines personnes privées la mainmise sur la radiodiffusion. D'autant que l'implantation d'un réseau de radio ou de télévision met en jeu des capitaux considérables sans commune mesure avec ceux exigés par le

lancement d'un nouveau journal. Seuls de grands
intérêts économiques et financiers peuvent prétendre user d'une éventuelle liberté. La recherche
du profit étant leur mobile, il est à craindre que
l'intérêt général ne pâtisse de leur intérêt.

L'intervention publique apparaît ainsi inévitable
et nécessaire. Cela ne signifie pas que sa légitimité
ne soit pas mise en cause. A l'impératif public
s'oppose la nécessité d'affirmer une certaine autonomie de l'entreprise de radiodiffusion par rapport
au pouvoir.

I. — La domination absolue du pouvoir sur l'entreprise de radiodiffusion

Dans les pays communistes, l'accent est mis
sur la fonction de formation politique que doit
remplir la radiodiffusion. Celle-ci doit permettre
d'expliquer aux masses la politique du parti et
de renforcer l'unité des pays socialistes. Il est
donc hors de question que l'entreprise de radiodiffusion puisse posséder une autonomie quelconque par rapport au pouvoir. Elle est un instrument au service de celui-ci. Comme le remarquait
le journal soviétique *Troud* :

« La radio apporte aux masses la parole du Parti, la parole
inspirée, la voix de la vérité, elle vient aider le peuple dans
la lutte pour la victoire complète du communisme dans notre
pays, elle invite à faire preuve d'héroïsme dans le travail en
vue d'élever notre pays, d'accroître sa puissance économique,
culturelle et militaire. »

En U.R.S.S. les services de la radiodiffusion
dépendent étroitement du commissaire du Peuple à
la Culture. Après l'occupation de la Tchécoslovaquie
par les troupes soviétiques en août 1968, le raffer-
missement de la censure sur la radio et la télévision tchécoslovaques a été considéré comme un des

signes du rétablissement de la légalité socialiste.

On retrouve des préoccupations comparables dans la quasi-totalité des pays qui ont récemment accédé à l'indépendance. Dans un Etat jeune, la radiodiffusion apparaît comme un excellent moyen d'implantation de l'autorité gouvernementale ; elle constitue le seul véhicule culturel utilisable. C'est pourquoi, quels que soient les statuts juridiques adoptés, l'emprise de l'Etat sur cette activité est totale.

II. — L'entreprise publique autonome de radiodiffusion

Dans un grand nombre d'Etats libéraux, l'Etat, tout en maintenant la radiodiffusion dans sa mouvance, dote l'entreprise de radiodiffusion d'une certaine autonomie en lui conférant la personnalité juridique. L'entreprise de radiodiffusion reste publique : la totalité ou la majorité de son capital appartient à l'Etat. Elle dispose cependant d'un pouvoir d'action distinct de celui du gouvernement au pouvoir.

Le statut juridique de l'entreprise importe moins que les habitudes politiques du pays considéré. Certains Etats peuvent prévoir des dispositions minutieuses assurant l'indépendance de la radiodiffusion par rapport au parti dominant : en fait, celle-ci n'est pas réellement libre. D'autres Etats, au contraire, malgré un statut imparfait, laissent à l'entreprise de radiodiffusion une autonomie réelle parce que la morale publique interdit toute intervention gouvernementale arbitraire dans le service de radio et de télévision. On peut, tout au plus, indiquer certaines recettes permettant d'assurer l'autonomie de l'entreprise de radiodiffusion.

L'autonomie de l'entreprise dépend, en premier lieu, de la structure des organes de gestion. La liberté d'expression est mieux assurée si l'organe d'administration est nommé par le Parlement que par l'exécutif, sur proposition de groupes représentatifs (universités, associations culturelles ou cultuelles, syndicats...) plutôt qu'à la discrétion de l'autorité investie du pouvoir de nomination. Elle est également mieux garantie si l'organe de direction est nommé par le Conseil d'administration plutôt que par le gouvernement. L'esprit dans lequel ces prérogatives de nomination sont exercées importe plus que les dispositions théoriques ; nomme-t-on des personnes réputées pour leur indépendance ou des individus dont la servilité à l'égard du pouvoir ne s'est jamais démentie ?

L'autonomie de l'organisme de radiodiffusion dépend également du degré d'autonomie financière dont il dispose, d'un statut du personnel qui assure à celui-ci une réelle indépendance par rapport au gouvernement, d'un statut des programmes qui permette la libre expression.

1. **La structure de la British Broadcasting Corporation.** — Le statut de la B.B.C. est souvent pris à l'étranger comme modèle de libéralisme. En réalité, sa lettre laisserait de très larges pouvoirs à un gouvernement qui voudrait assurer son autorité sur la radiodiffusion. L'esprit public au Royaume-Uni interdit cependant une telle intervention.

La B.B.C. est dirigée par un organisme collectif, le Conseil des gouverneurs, qui se compose de sept gouverneurs dont le président et le vice-président. Ces gouverneurs sont nommés, en vertu de la Charte, par la Couronne, mais c'est en fait le *Post Master* général qui intervient dans leur choix.

Les nominations sont effectuées indépendamment de toute considération politique. Les gouverneurs sont, en général, choisis parmi des personnalités indépendantes réputées pour leur expérience des affaires publiques. Le gouvernement évite, en fait, d'intervenir dans la vie de la B.B.C. Les statuts prévoient que le *Post Master* peut interdire à la B.B.C. de diffuser à un moment précis ou en tout temps, un sujet quelconque ou une catégorie de sujets dûment spécifiés. Mais ce dernier pouvoir figure dans la Charte comme une ultime sanction dont la simple existence suffit à prévenir l'exercice.

Sans doute certains reprochent-ils à la B.B.C. de constituer à elle seule un pouvoir et le gouvernement travailliste de M. Wilson estime-t-il qu'elle est trop favorable aux conservateurs. Mais, comme l'a dit un responsable de la B.B.C. :

« Quand les travaillistes sont au pouvoir, ils nous trouvent toujours trop favorables aux conservateurs, et quand les conservateurs sont au pouvoir ils nous trouvent toujours trop favorables aux travaillistes. C'est la meilleure preuve que nous ne favorisons personne. »

2. **La structure des organismes de radiodiffusion en Allemagne fédérale.** — En Allemagne fédérale les organismes de radiodiffusion des Länder ont, en principe, une organisation tripartite. A la base, un *Conseil de radiodiffusion*, composé de vingt à cinquante représentants des organisations politiques, syndicales, religieuses et culturelles, prend toutes les dispositions fondamentales : approbation du budget, politique générale de l'établissement, élection des autres organes. Au-dessus, le *Conseil d'administration* composé de sept à douze personnes élues par le Conseil de radiodiffusion, en général hors de son sein, est une sorte de commission permanente de ce Conseil : il est responsable de la

gestion courante de l'établissement. Enfin, *l'inten-dant* constitue l'organe d'exécution, il est élu, selon les Etats, par le Conseil de radiodiffusion ou le Conseil d'administration. Il dispose en fait d'importants pouvoirs.

L'indépendance des organismes de radiodiffusion par rapport au gouvernement fédéral est très large mais ils sont, en réalité, assez soumis aux autorités régionales ; on retrouve dans leurs conseils les notables provinciaux qui occupent des fonctions importantes dans l'administration ou le gouvernement de l'Etat fédéré. On reproche en général aux organismes de radiodiffusion leur très grand conformisme.

3. **La structure des organismes de radiodiffusion en Belgique.** — En Belgique, *l'administration* de chacun des instituts d'émission est assurée par un Conseil d'administration de dix membres. Huit d'entre eux sont nommés par le Sénat et la Chambre des représentants à la représentation proportion-nelle, les deux autres sont cooptés par les précé-dents. Les membres nommés sont choisis, en fonction de leur appartenance culturelle, sur une liste de candidats désignés par les Conseils provinciaux, les Académies royales des Sciences, Lettres et Beaux-Arts, de Médecine, de Langue et Littéra-tures, les Universités et le Conseil supérieur de l'Education populaire. Les fonctions de membres du Conseil d'administration sont incompatibles avec celles de membres de la Chambre des représentants, du Sénat ou du personnel permanent des instituts.

La *direction* des instituts d'émission est confiée à un directeur général assisté de deux directeurs des programmes nommés par le roi, le Conseil d'administration entendu. Ce statut assure à la radiodiffusion belge une autonomie réelle, on lui reproche cependant, comme à son homologue d'Allemagne fédérale, de faire une place prédominante à l'*establishment*.

III. — L'entreprise privée de radiodiffusion

Certains pensent que le libéralisme ne peut être assuré que dans la mesure où l'Etat s'abstient de toute participation au capital de l'entreprise de radiodiffusion ; une entreprise financée par des fonds privés peut seule disposer d'une autonomie réelle. L'Etat ne se désintéresse pas pour autant de la radiodiffusion : il gère lui-même certaines entreprises à finalités internationale ou culturelle. Il dispose également d'un droit de contrôle sur les entreprises privées de radiodiffusion. Tel est le système pratiqué aux Etats-Unis. L'initiative privée est contrôlée par une commission publique : la *Federal Communication Commission*. Celle-ci comprend sept membres nommés par le Président des Etats-Unis avec l'approbation du Sénat. Aucune station émettrice de radio ou de télévision ne peut fonctionner sur le territoire des Etats-Unis sans une licence délivrée par la Commission. Le contrôle exercé est un contrôle technique : veiller au respect des accords répartissant les fréquences, assurer aux citoyens un service d'une qualité suffisante. Il porte également sur les programmes diffusés, par l'établissement de normes.

Le système américain assure sans doute une indépendance réelle à la radiodiffusion par rapport au gouvernement. Il la place néanmoins sous des tutelles privées qui ne sont pas moins contraignantes. Comme le remarquait un député :

« Les compagnies sont purement commerciales et elles paraissent indépendantes, notamment du gouvernement de

Washington. Mais le sont-elles de leurs actionnaires, des affaires qui y placent leur publicité et même de leur public qui écarte facilement les programmes éducatifs et artistiques au profit des spectacles distrayants... Un journaliste compare les chaînes de télévision à des écoles où l'on n'apprendrait ni à lire ni à écrire ni à compter puisqu'on ne peut ni parler de gouvernement, ni du monde du travail, ni du monde des affaires » (1).

Devant les abus de la télévision privée, l'Etat fédéral a été amené à développer le réseau public.

IV. — La solution française

Le développement du réseau public de radio-diffusion s'est fait en France de façon empirique, sans que l'on réfléchisse, en profondeur, au problème du statut de l'entreprise de radiodiffusion. On s'est sans doute toujours rendu compte que le régime juridique de la radiodiffusion doit être construit en fonction du respect de la liberté d'expression. Mais le retard des institutions sur les idées est en ce domaine particulièrement évident. Le législateur et le pouvoir réglementaire vont édicter des textes de détail, mais seront incapables de penser le statut de la radiodiffusion sur une base nouvelle. Le statut de 1928 précise qu'il est un statut provisoire en attendant un statut défi-nitif de la radiodiffusion. Il faudra attendre 1959 puis 1964 pour qu'un statut général de l'entreprise de radiodiffusion, qui ne donne d'ailleurs pas entière satisfaction, soit élaboré.

1. **L'évolution du statut de l'entreprise de radiodiffusion.** — Pendant une première période (1920-1939) la radiodiffusion est alignée sur le droit commun des services administratifs, elle constitue un service public géré par le ministre des P.T.T.

(1) Intervention Billotte, Débats Ass. Nat., 13 décembre 1964.

Toutefois, deux particularités de gestion doivent être signalées : la composition et la réalisation des programmes sont conférées à des groupements privés représentant les personnes intéressées au fonctionnement du service, le régime financier est assoupli notamment par l'affectation d'une recette aux dépenses du service de radiodiffusion : la redevance sur les postes récepteurs.

— De 1939 à 1944, l'autonomie du service de radiodiffusion se renforce avec notamment la création d'un budget annexe et la naissance d'organes de gestion propres (statut du 7 novembre 1942).

— A la Libération, la Radiodiffusion-Télévision Française, qui fonctionne sous l'autorité de la Présidence du Conseil ou d'un secrétaire d'Etat délégué, perd une partie de l'autonomie qui lui avait été concédée. Dès lors, de 1944 à 1958, se déroule une période d'immobilisme dans l'insatisfaction générale. La subordination de la R.T.F. à l'égard du gouvernement, son régime financier trop proche du droit commun provoquent d'innombrables difficultés. Plus de seize projets ou propositions de statut sont élaborés. Aucun d'entre eux n'aboutit.

— Dès 1958, le problème du statut de la radiodiffusion est posé devant l'opinion publique. Les circonstances exceptionnelles que traverse le pays montrent l'utilisation qui peut être faite de la radio et de la télévision. L'arrivée au pouvoir d'un parti politique majoritaire soulève la question de l'indépendance de l'entreprise de radiodiffusion : jusqu'en 1958, la R.T.F. était sans doute soumise mais à des gouvernements instables formés grâce à une coalition de partis divers. Enfin, à partir de 1958, la télévision est reçue sur l'ensemble du territoire : l'opinion est beaucoup plus sensible à l'influence de la radio qu'à celle de la télévision et elle réclame la libéralisation du statut de l'entreprise de radiodiffusion.

L'ordonnance du 4 février 1959 tente de répondre à cette aspiration en conférant la personnalité juridique à la R.T.F. qui devient un établissement

public. Mais la R.T.F. ne dispose d'aucune autonomie réelle, elle demeure placée *sous l'autorité*
du ministre de l'Information, ses organes de direction sont toujours nommés et révoqués discrétion-
nairement par le gouvernement. Aussi le problème
du statut de la R.T.F. reste posé devant l'opinion
publique. Après le dépôt devant l'Assemblée Nationale par M. André Diligent d'une proposition de
statut de la R.T.F., particulièrement libérale, le
Premier ministre annonce à l'Assemblée, le 4 octobre 1962, l'élaboration d'un nouveau statut et
confirme son intention le 13 décembre 1962. Un
problème surgit alors : la délimitation de la compétence législative et réglementaire en cette matière.
La question est posée au Conseil Constitutionnel
qui tranche, le 19 mars 1964, par une décision de
la plus haute importance. La Radiodiffusion-Télévision Française ayant pour objet la communication
des idées et des informations intéresse une des
libertés publiques dont les garanties fondamentales
relèvent du pouvoir législatif ; du fait du monopole
qui lui est conféré, elle constitue une catégorie
d'établissement public, sans équivalent sur le plan
national. Dès lors relèvent du législateur les règles
de création de l'organisme ainsi que les règles qui
fixent le cadre général de son organisation et de son
fonctionnement.

En application de cette décision, le gouvernement
a déposé le 23 avril 1964 un projet de statut de
l'Office de Radiodiffusion-Télévision Française qui
est devenu, après des débats animés, la loi du
27 juin 1964.

La loi du 27 juin 1964 a été complétée par un certain nombre
de décrets d'application : les décrets du 22 juillet 1964. Deux
de ces textes sont relatifs aux statuts des personnels et des
journalistes. Les autres textes s'attachent à préciser les

conditions de fonctionnement des structures de l'O.R.T.F., l'un d'entre eux précise la composition du Conseil d'administration et détermine les règles de son fonctionnement, le second applique à l'O.R.T.F. les dispositions en vigueur pour les établissements publics à caractère industriel et commercial, il a été précisé par l'arrêté du 31 juillet 1964 concernant les modalités d'exercice du contrôle économique et financier de l'Etat sur l'O.R.T.F. Un dernier décret traite des comités de programmes pour la radio et la télévision.

La loi du 27 juin 1964 et ses décrets d'application n'ont pas réussi à faire totalement entrer en pratique l'idée d'autonomie de la radio et de la télévision par rapport au pouvoir. L'Office a traversé une crise profonde marquée par une grève en mai et juin 1968. Une réorganisation de l'O.R.T.F. est intervenue en août 1968 et la composition du Conseil d'administration a alors été élargie (décret du 20 août 1968). Les textes ont cependant peu d'importance. La lettre du statut peut être considérée dans l'ensemble comme satisfaisante. Il appartient aux organes de l'O.R.T.F. d'assurer leur mission conformément au statut et à tous les partis politiques de les pousser dans cette voie.

2. **Le statut actuel de l'Office de Radiodiffusion-Télévision Française.** — L'O.R.T.F. constitue une entreprise publique dotée du statut d'établissement public à caractère industriel et commercial. Il assure le service public de la radio et de la télévision en vue de satisfaire les besoins d'information, de culture, d'éducation et de distraction du public. Cette qualification juridique a été choisie pour bien marquer la volonté de donner à l'Office des organes autonomes et une très grande autonomie de gestion.

A) *L'autonomie dans les organes.* — a) *Le détachement par rapport à l'autorité gouvernementale.* —

Jusqu'à la loi du 27 juin 1964, la R.T.F. était soumise à *l'autorité* du ministre de l'Information. Cette subordination totale s'accordait mal avec la personnalité morale que l'ordonnance du 4 février 1959 avait concédée à l'établissement. Le ministre de l'Information avait insisté lui-même sur la nécessité de mettre un terme à cette situation. « Avec le système de l'autorité on a tendance à interpréter toute information ou tout commentaire diffusé par R.T.F. comme une prise de position gouvernementale, ce qui diminue d'autant le crédit et même la crédibilité des émissions » (*J.O.*, Débats Ass. Nat., 26 mai 1964). La loi du 27 juin 1964 a justement substitué la *tutelle* à l'autorité. Cela signifie qu'au lieu de posséder un pouvoir général d'intervention dans le fonctionnement de la R.T.F., le gouvernement ne dispose plus que de prérogatives déterminées par des textes précis qui doivent être étroitement entendus. Les cas d'exercice de la tutelle et les autorités bénéficiaires de ce pouvoir sont déterminés par les textes applicables à l'O.R.T.F. La tutelle est exercée par le ministre de l'Information, par le ministre des Finances et par le Parlement. Le but essentiel de la tutelle exercée par le ministre de l'Information est de veiller au respect du monopole d'émission dont l'Office est investi. Il s'agit également de veiller à l'observation des obligations générales découlant du caractère de service public de l'Office. Il faut enfin, conjointement avec le ministre des Finances, approuver le budget de l'Office et contrôler l'utilisation que celui-ci fait de ses ressources. Ainsi les organes de l'O.R.T.F. sont-ils pleinement responsables de leur action.

Passer en fait de l'autorité à la tutelle n'a pas été facile. Les services ministériels ayant l'habitude de l'autorité ont

eu la tentation de la conserver. Un service de liaison inter-
ministérielle de l'information, créé en juillet 1963, regroupant
des conseillers techniques représentant les différents minis-
tères, a tendu à perpétuer l'état de choses ancien. Il a été
supprimé en 1968.

b) *L'existence d'organes propres à l'Office.* —
Pour construire les structures de la radiodiffusion,
deux perspectives étaient possibles. Soit remettre
le pouvoir à des agents nommés par le gouvernement et soumis à son autorité : c'est la solution
autoritaire. Soit donner les prérogatives de décision
à un Conseil d'administration représentant les
parties intéressées : c'est la solution libérale. C'est
dans le cadre de la première de ces deux solutions
que se situait la R.T.F. sous le régime de l'ordonnance du 4 février 1959.

La gestion de la R.T.F. était alors assurée par un directeur
général soumis à l'autorité du ministre de l'Information, à
un directeur général adjoint et à des directeurs. Les titulaires
de ces postes clés étaient tous nommés par décrets pris en
Conseil des ministres sur le rapport du ministre de l'Information. Tous fonctionnaires, ils occupaient des emplois
soumis à la discrétion du gouvernement. La subordination
de la R.T.F. à la volonté gouvernementale était par conséquent
entière.

On ne pouvait parler de décentralisation. Il
s'agissait de déconcentration et d'une déconcentration soigneusement calculée puisque le directeur
général n'avait pas la possibilité de choisir lui-
même ses directeurs. Une telle structure ne répon-
dait pas aux désirs de tous ceux qui auraient voulu
décoloniser la R.T.F., cette émancipation comportant la création d'un Conseil d'administration
représentant les principaux groupes intéressés au
fonctionnement de la radio et de la télévision.
Passer ainsi de la déconcentration à la gestion par
les intéressés eux-mêmes constituait une opération

complexe. Déterminer les catégories intéressées tout en évitant l'arbitraire, assurer la gestion quotidienne de l'établissement malgré les controverses qui pourraient surgir au sein du Conseil d'administration, tous ces objectifs impliquaient une solution mesurée. Le résultat est un compromis entre la volonté de décentralisation et le désir de maintenir la déconcentration.

Le Conseil d'administration ou l'avènement de la décentralisation : L'avènement de la décentralisation se marque par la création d'un Conseil d'administration construit sur une base paritaire représentant les parties intéressées au fonctionnement de l'O.R.T.F. A la représentation de l'Etat (douze administrateurs) s'ajoute la représentation des fonctionnaires (douze administrateurs). La composition du Conseil d'administration a été considérablement améliorée en 1968.

Les douze administrateurs représentant l'Etat sont désormais choisis parmi des hauts fonctionnaires plutôt que parmi les membres des cabinets ministériels trop soumis au pouvoir. Cinq de ces douze représentants appartiennent aux grands corps : Conseil d'Etat, Cour de Cassation, Cour des Comptes, Université, diplomatie ; ils sont nommés après consultation des corps concernés. Les sept autres sont nommés sur proposition du Premier ministre ou des ministres intéressés, parmi les hauts fonctionnaires occupant dans les cadres permanents de l'administration des postes de responsabilité.

La représentation des catégories intéressées associe au fonctionnement de l'Office les auditeurs et les téléspectateurs, la presse écrite, des personnalités hautement qualifiées.

Un administrateur représente les auditeurs et les téléspectateurs. Il est désigné sur des listes de présentation établies par les associations d'auditeurs et de téléspectateurs les plus représentatives. Dans les mêmes conditions, un membre représentant la presse écrite est désigné. Le personnel dispose de cinq administrateurs désignés en son sein sur des listes de présentation établies par les organisations syndicales ou professionnelles les plus représentatives (trois représentants du personnel statutaire, un représentant du personnel journaliste, un représentant des producteurs et réalisateurs). Beaucoup plus critiquable est la catégorie des personnalités qualifiées qui dispose de quatre sièges ; tout citoyen actif peut être considéré comme y appartenant et le gouvernement risque ainsi d'être tenté d'accroître sa représentation au sein du Conseil d'administration par l'intermédiaire de la désignation de ces personnalités. Tous les administrateurs sont nommés par décret en Conseil des ministres pour une durée de trois ans.

La volonté de décentralisation conduit à donner au Conseil d'administration représentant les intéressés de très larges pouvoirs. En vertu de la loi du 27 juin 1964, le Conseil d'administration définit les lignes générales de l'action de l'établissement, il délibère son budget et en contrôle l'exécution ; il veille à l'objectivité et à l'exactitude des informations diffusées par l'Office ; il vérifie que les principales tendances de pensées et les grands courants d'opinion peuvent s'exprimer par l'intermédiaire de l'Office.

La définition de ces pouvoirs montre que, dans la structure de l'O.R.T.F., le Conseil d'administration constitue le *pouvoir souverain* car c'est lui qui se trouve chargé de définir les principes directeurs de l'action de l'Office que les autres organes pourront seulement préciser et c'est lui également qui détient le pouvoir financier à l'intérieur de l'établissement.

La prérogative essentielle du Conseil se situe sur le terrain de la liberté publique de communication des idées et des informations. Le Conseil est désormais chargé de faire respecter cette liberté.

Toutefois, sa mission paraît beaucoup plus de réaliser un équilibre général entre les tendances et les courants d'opinion qu'un équilibre point par point, coup pour coup. La souveraineté du Conseil n'est *cependant pas totale*.

L'appréciation des informations à donner sur l'activité gouvernementale aurait pu entrer dans la mission du Conseil. Nul ne peut nier, en effet, qu'une grande partie des informations concerne l'autorité gouvernementale. Le Conseil d'administration n'a cependant pas reçu un droit souverain en ce domaine. Le statut de la loi du 27 juin 1964 prévoit que le gouvernement peut, à tout moment, faire diffuser ou téléviser par l'O.R.T.F. toute déclaration ou communication qu'il juge nécessaire. Quant à la radiodiffusion ou la télévision des débats parlementaires, elle ne peut s'effectuer que sous le contrôle de chacune des Assemblées.

La limitation la plus grave apportée à l'autorité du Conseil vient de la structure de la direction qui représente le gouvernement et non le Conseil d'administration.

La direction, l'élément de déconcentration : Le Conseil d'administration, s'il a la direction générale de l'Office, ne possède pas, pour autant, tous les pouvoirs dans son fonctionnement. Il aurait été possible, si l'on avait voulu développer la décentralisation, de confier l'exécution des délibérations du Conseil et la gestion quotidienne de l'établissement au président du Conseil d'administration, c'est-à-dire à une autorité élue. La chose n'était pas impensable puisque dans une entreprise voisine du secteur de l'information, l'Agence France-Presse, de telles tâches sont dévolues au président élu par le Conseil d'administration. Mais cette solution n'a pas été retenue. Si le Conseil d'administration de l'Agence France-Presse se trouve dans la situation d'un Conseil municipal, celui de l'O.R.T.F. a été placé dans la position d'un Conseil général. Le président du Conseil d'administration de l'O.R.T.F. ne détient, en effet, qu'un rôle limité de direction des séances du Conseil. La gestion quotidienne de l'établissement lui échappe. Elle appartient à un directeur général et à deux directeurs généraux adjoints nommés par décret en Conseil des ministres. Entre la nomination directe par les pouvoirs publics, la nomination sur proposition du Conseil d'administration et le simple agrément, c'est la première solution, la moins libérale, qui l'a emporté. *Si la direction générale de l'Office appartient à un Conseil d'administration décentralisé, l'administration quotidienne de l'établissement est conférée à la direction générale, organe déconcentré.* Le directeur général est nommé par le gouvernement ; il est assisté par deux directeurs généraux, désignés dans les mêmes conditions. Toutes ces personnes occupent des postes à la discrétion du gouvernement. Leur subordination à la volonté gouvernementale est ainsi très étroite. Il s'agit là d'agents bénéficiant simplement de pouvoirs déconcentrés.

La répartition des pouvoirs entre le Conseil d'administration et la direction : la part réelle de la décentralisation et de la déconcentration : Dans la répartition générale des pouvoirs établie par le statut du 27 juin 1964, le Conseil d'administration est chargé de la direction générale de l'O.R.T.F. tandis que la direction est, elle, investie de l'administration quotidienne et politique de l'établissement. En pratique, le respect effectif et immédiat de cet équilibre général était difficile à instaurer. La direction générale disposait d'une autorité ancienne.

Les organes gouvernementaux avaient pris l'habitude d'interventions directes dans le fonctionnement de la radio et de la télévision. Le Conseil d'administration devait asseoir son autorité et se détacher de l'autorité gouvernementale. En pratique, et il semble qu'il s'agisse là d'une timidité excessive du Conseil, le Conseil d'administration n'a pas réussi à disposer d'un pouvoir réel. Réuni une fois par mois, il s'est le plus souvent borné à entériner les propositions de la direction. L'application du statut de 1964 s'est ainsi trouvée faussée, l'élément libéral qui s'y trouvait n'ayant pu s'affirmer. Une volonté de modifier à nouveau ce statut est ainsi apparue. Si l'on n'y prend garde, le statut de la radio et de la télévision risque de connaître le sort des Constitutions de la République abrogées avant même d'avoir été expérimentées. Le Conseil d'administration doit, conformément au statut, affirmer son autorité par rapport à la direction. Il faut cependant souhaiter qu'une modification du statut permette au Conseil de désigner le directeur de l'O.R.T.F.

B) *L'autonomie de gestion.* — Le caractère d'établissement public industriel et commercial conféré à l'O.R.T.F. aurait dû, dès 1959, entraîner l'autonomie financière de l'entreprise. Il s'en fallait cependant de beaucoup que cette autonomie fût réalisée effectivement. Aussi bien les contrôles pesant sur la R.T.F. que les méthodes de gestion financière qui lui étaient appliquées montraient que l'esprit du service administratif s'était maintenu malgré la nouvelle qualification. Sur ces deux points, la loi du 27 juin 1964 et certaines mesures réglementaires se sont efforcées de passer de la fiction à la réalité en donnant à l'Office une véritable autonomie de gestion. En pratique celle-ci est loin d'être entière.

a) *L'assouplissement des contrôles*. — L'assouplissement des contrôles pesant sur la Radiodiffusion-Télévision Française s'impose pour des raisons
pratiques et logiques.

L'ordonnance de 1959 précisait que l'établissement restait
soumis au contrôle financier en vigueur. Cela signifiait que
ses dépenses restaient considérées comme les dépenses d'un
service public administratif. La conséquence principale de
cette situation était de maintenir, contrairement au droit
commun des établissements publics à caractère industriel
et commercial, le contrôle *a priori* du contrôleur financier,
émanation du ministère des Finances. Cette situation en
contradiction avec le statut d'établissement public à caractère
industriel et commercial ne convenait pas du tout à la nature
de l'activité de la R.T.F. Il était ainsi arrivé en septembre 1961,
lors d'un tremblement de terre au Chili, que la mission de la
R.T.F. ne puisse partir que huit jours après l'événement. Le
maintien du visa préalable enlevait, en outre, aux cadres de
l'entreprise tout sens de leur responsabilité. Ils avaient tendance à penser qu'une fois le visa obtenu ils étaient invul-
nérables, leur responsabilité étant désormais couverte par le
contrôleur financier.

La loi du 27 juin 1964 a placé l'O.R.T.F. dans
le droit commun des établissements dotés de l'autonomie financière en stipulant que l'Office est
« soumis au contrôle économique et financier de
l'Etat prévu pour les entreprises nationales ».
Désormais, en principe, le contrôle *a priori* se
trouve remplacé par le contrôle *a posteriori*. Cela
n'implique pas pour autant l'indépendance totale,
le contrôle auquel l'O.R.T.F. reste soumis a un
contenu réel.

L'Office reste tout d'abord soumis à la tutelle
financière. Sont ainsi soumis à approbation le
budget, les bilans, comptes de résultats, et affec-
tations de bénéfices, les prises ou extensions de
participations financières.

D'autre part, la disparition de principe du

contrôle d'Etat préalable ne signifie pas pour autant l'effacement total de ce contrôle. Un arrêté du 31 juillet 1964 avait, contrairement à l'esprit général du statut, *laissé subsister le contrôle préalable pour de très nombreux actes*. Un arrêté du 30 décembre 1968 ne l'a plus laissé subsister que pour les actes de portée générale intéressant le recrutement, la promotion, les indemnités et la condition de travail des personnels permanents ou engagés pour une durée supérieure à quatre mois, les actes d'engagement afférents aux opérations en capital au-dessus d'un certain montant.

Le ministère des Finances, soit directement, soit par l'intermédiaire du contrôleur d'Etat, continue ainsi de faire peser une lourde tutelle sur l'Office et l'autonomie de gestion n'est qu'un leurre.

Un député a pu justement remarquer qu'il existait deux vies financières de l'O.R.T.F. sans rapport entre elles ; d'une part, la gestion interne de l'établissement par des responsables, gestion qui « se veut économique et commerciale, comme il se doit dans une entreprise ; d'autre part, une gestion productive de l'établissement par le contrôleur d'Etat qui ne tient aucun compte des impératifs commerciaux et industriels propres à l'établissement. Ayant l'habitude de contrôler l'O.R.T.F. suivant une procédure traditionnelle, les services de l'administration des Finances ne veulent ni changer, ni perdre, ne serait-ce qu'en apparence, une partie de leur autorité » (1).

Un décret du 26 décembre 1968 et un arrêté du 30 décembre 1968 ont sensiblement réduit le contrôle *a priori* pesant sur l'Office, mais il est encore difficile d'apprécier si, en pratique, l'autonomie financière de l'O.R.T.F. s'est renforcée.

(1) Rapport Vivien, annexe au rapport de la Commission des Finances pour 1967, annexe au procès-verbal de la séance du 3 octobre 1966, Assemblée Nationale.

Beaucoup moins critiquable est le maintien du contrôle parlementaire. Ce contrôle s'exerce principalement lors du vote de la loi de finance à l'occasion de l'inscription de la redevance de l'O.R.T.F. sur l'état des taxes parafiscales.

En cours d'année, le secrétaire d'Etat chargé de l'Information est tenu de réunir auprès de lui, au moins une fois par trimestre, une représentation du Parlement. Pour exercer ce contrôle, les parlementaires disposent de tous les documents administratifs nécessaires.

b) *La réforme des procédures de gestion.* — La lourdeur des procédures de gestion de la R.T.F. a toujours été dénoncée. Sur le plan comptable, l'assujettissement à la comptabilité publique entrave le fonctionnement de l'établissement. Le décret du 22 juillet 1964 relatif au régime financier et comptable de l'O.R.T.F., tout en rappelant l'applicabilité de la réglementation sur la comptabilité publique, prévoyait des assouplissements justifiés par la nature du service de la radiodiffusion-télévision. Le ministère des Finances s'est opposé à cette réforme. L'O.R.T.F. reste ainsi davantage géré comme un service administratif que comme une entreprise d'information et de spectacles. Il ne pourra pas longtemps lutter contre les groupes de pression qui exaltent les vertus de l'entreprise privée de télévision si on persiste à faire peser sur lui des règles inadaptées à la fonction qu'il doit assumer.

Chapitre II

ENTREPRISES OU ENTREPRISE :
LE CHOIX ENTRE LE MONOPOLE
ET LA CONCURRENCE

Le choix entre le monopole et la concurrence dans le domaine de la radiodiffusion dépend d'options générales de la société. Certains soutiennent que seul le *monopole* permet d'assurer au service de radio et de télévision une qualité suffisante. Des entreprises concurrentielles, se disputant le public, risquent en effet de rivaliser dans la médiocrité. Les sondages prouvent que l'audience d'un programme varie en raison inverse de son niveau culturel. Les partisans de la *concurrence* mettent l'accent sur le pluralisme nécessaire à une société démocratique : une seule entreprise de radiodiffusion risque de tomber sous la domination de l'Etat ou d'une puissance financière. En revanche, de multiples entreprises soumises à des tutelles diverses permettront de réaliser une variété souhaitable pour la formation d'une opinion publique diversifiée.

La limitation des fréquences utilisables a, jusqu'à ces dernières années, favorisé les situations de monopole. Les progrès de la science doivent, dans l'avenir, lever cet obstacle technique. Déjà, grâce à une utilisation rationnelle des fréquences existantes ou à l'emploi de fréquences nouvelles, les techniciens disposent, en matière de radio, d'une bande de fréquences plusieurs milliers de fois plus large qu'il y a quarante ans.

I. — Les situations de monopole

Le monopole en matière de radiodiffusion ne constitue pas en lui-même une entorse aux principes démocratiques.

Les juridictions constitutionnelles italienne et allemande ont remarqué qu'une organisation adéquate peut permettre l'expression démocratique dans un organisme en situation de monopole. En Italie, la Cour Constitutionnelle, dans un arrêt du 13 juillet 1960, a estimé que le monopole des services de la radiodiffusion visuelle n'est pas, en soi, en contradiction avec les dispositions de l'article 21 de la Constitution qui reconnaît le droit de tous à exprimer la pensée par tous moyens de diffusion. Mais l'Etat qui exerce le monopole d'un service destiné à la diffusion de la pensée est tenu d'assurer, en toute impartialité et objectivité, la faculté potentielle de bénéficier de ses prestations, bien entendu dans les limites imposées par les exigences techniques et fonctionnelles, à quiconque a des motifs de les utiliser pour la diffusion de la pensée selon ses divers modes d'expression. Des lois doivent organiser l'accès des organismes représentatifs à l'expression par voie de radiodiffusion ; des garanties d'impartialité du service fourni doivent également être données.

En Allemagne fédérale, la Cour Constitutionnelle a admis, le 28 février 1961, que la liberté de radiodiffusion garantie par la Constitution peut être assurée malgré le monopole si les Länder créent des organismes de droit public soustraits à toute influence directe de l'Etat et si leurs organes sont composés selon un pourcentage équitable de représentants de tous les groupes politiques, philosophiques et religieux.

Un organisme disposant du monopole de radiodiffusion peut être admis dans un Etat démocratique *dans la mesure où des organes de gestion représentatifs assurent son autonomie réelle par rapport au gouvernement au pouvoir et où des lois garantissent l'accès à l'antenne des principaux groupes sociaux.*
Rares sont les situations de monopole qui satisfont à ces exigences. Les Pays-Bas ont tenté de trouver des aménagements satisfaisants : la gestion de l'organisme de radiodiffusion a été remise à des

groupements privés reposant sur des assises philosophico-religieuses. Le risque du système est la difficulté pour les groupements nouveaux de s'exprimer : aussi, en 1965, une nouvelle loi a permis au gouvernement d'autoriser de nouvelles associations à avoir accès à l'antenne. Cette pratique engendre également une certaine monotonie dans les programmes, les faits politiques ou sociaux sont traités plusieurs fois, chaque association désirant présenter son point de vue sur les questions d'actualité. Une radiodiffusion objective ne peut résulter de la seule addition de prises de position partisanes. Elle doit se construire dans le respect des opinions de tous et non dans la simple affirmation des sentiments de chacun.

II. — Le pluralisme limité

Certains Etats, sans admettre la concurrence des organismes de radiodiffusion, ont été conduits à consentir à l'existence d'un nombre limité d'entreprises. Des raisons culturelles, juridiques ou financières expliquent l'existence de plusieurs entreprises publiques.

1. **Impératifs culturels.** — L'existence dans un même Etat de plusieurs communautés culturelles peut conduire à la naissance de plusieurs entreprises, chacune d'entre elles étant destinée à l'une de ces communautés. Ainsi, en Belgique, deux organismes d'émission ont été constitués : la Radio-Télévision Belge émissions françaises et Belgische Radio and Televisie-Nederlandse uit zendingen. Les instituts fixent leurs programmes et leurs budgets de manière autonome. Un troisième institut gère les services communs.

2. **Impératifs juridiques.** — Dans un Etat fédéral, la Constitution peut ne pas réserver la radiodiffusion à la Fédération ; chacun des Etats fédérés peut alors disposer de son propre organisme d'émission. Telle est la situation en Allemagne fédérale. Seule la radiodiffusion destinée aux auditeurs hors des frontières relève de l'Etat fédéral compétent pour toutes les affaires extérieures. Mais, en dehors de ce domaine limité, la souveraineté exclusive sur la radio et la télévision appartient aux Länder. Neuf sociétés de radio et de télévision ont été constituées sous la forme d'organismes de droit public dépendant des différents Länder : Bayerischer Rundfunk (Munich), Hessischer Rundfunk (Francfort), Norddeutscher Rundfunk (Sarrebruck), Senderfreis Berlin, Westdeutscher Rundfunk (Cologne). Une seconde chaîne de télévision est gérée en communauté par les Länder.

3. **Impératifs financiers.** — On peut faire coexister des organismes publics reposant sur des modes de financement différents. Ainsi, au Royaume-Uni, à côté de la B.B.C. financée par des ressources publiques, le législateur a créé, en 1954, un autre établissement public, l'Independant Television Authority (I.T.A.), chargé de la télévision, financé par la publicité (télévision commerciale).

III. — Le pluralisme intégral

Aux Etats-Unis, sous réserve de l'intervention d'une commission fédérale de contrôle, la règle est la liberté de l'initiative privée. Des sociétés privées, dont le but est le profit, gèrent, dans la concurrence, la radio et la télévision. On recensait ainsi au 1er janvier 1964, 654 stations de télévisions et

5 017 stations de radiodiffusion. Mais, en fait, divers motifs ont conduit à la constitution de réseaux liés entre eux par des intérêts matériels. Le poids de la publicité dans le financement des stations conduit à un regroupement pour obtenir des contrats plus avantageux. Les réseaux possèdent eux-mêmes les stations ou leur fournissent des programmes financés par la publicité. La concurrence se trouve ainsi limitée à trois ou quatre grands réseaux. On est loin du pluralisme invoqué.

IV. — La situation française

En France, un monopole de l'émission au bénéfice d'un organisme public a été progressivement consacré. Il est profondément contrebalancé aujourd'hui par l'existence de postes périphériques.

1. **L'évolution vers le monopole étatique absolu.** — Le monopole de l'Etat s'est développé en France à partir d'un cadre étroit : les liens entre la radiodiffusion et les télécommunications. L'assimilation est vite établie entre ces deux procédés de transmission, malgré les différences qu'ils comportent. En conséquence, l'Etat s'efforce d'étendre à la radiodiffusion les dispositions d'un décret-loi du 27 décembre 1851 relatif au monopole et à la police des lignes télégraphiques tandis que les premières stations privées invoquent l'originalité de la radiodiffusion qui, à la différence des transmissions télégraphiques, fonctionne sans fil, pour échapper au monopole. La loi de finance du 30 juin 1923 (art. 85) règle le débat : elle applique expressément le monopole à « l'émission et à la réception des signaux radioélectriques de toute nature ».

Pendant une première étape, le monopole n'implique pas pour l'Etat l'exploitation exclusive de la radiodiffusion. Des postes émetteurs privés peuvent être autorisés par le ministre des P.T.T. auquel revient le contrôle de l'activité nouvelle par assimilation à la technique plus ancienne du télégraphe et du téléphone. La radiodiffusion, considérée comme un service public, peut être confiée à des entreprises privées. L'Etat ne se désintéresse pas pour autant de ce service public. Parallèlement à sa fonction d'autorisation des postes privés, il développe l'implantation d'un réseau public de radiodiffusion. Au fur et à mesure que ce réseau se renforce, l'Etat accroît sa pression sur les postes privés. Postérieurement à janvier 1929, aucune autorisation nouvelle n'est accordée. Un décret du 13 octobre 1938, justifié par la tension internationale, organise un strict contrôle sur les émissions ayant un caractère économique, politique ou financier. A partir de septembre 1939, les postes privés doivent assurer la retransmission des informations du réseau public.

Ce resserrement de contrôle sur les postes privés, dû à la situation internationale d'abord, à la guerre ensuite, va faciliter l'établissement du monopole étatique d'exploitation. Après des mesures de réquisition des installations des postes privés, l'ordonnance du 23 mars 1945 révoque toutes les autorisations d'exploiter accordées aux postes privés. Le monopole étatique est ainsi absolu.

2. **Le statut actuel du monopole.** — Depuis 1945, un monopole de l'émission excluant les postes privés a été affirmé. Il bénéficiait, à l'origine, à la R.T.F. Il a aujourd'hui été remis à l'O.R.T.F. (loi 27 juin 1964).

L'Office de Radiodiffusion-Télévision Française a seul qualité dans les territoires de la République pour :

1o organiser, constituer, ou faire constituer, entretenir, modifier et exploiter le réseau des installations de radiodiffusion ; cela exclut l'implantation de stations émettrices ou de relais par les particuliers, même si cette installation présente un but désintéressé ;

2o radiodiffuser ses programmes ou les mettre à la disposition d'autres organismes de radiodiffusion ;

3o percevoir les redevances et les contreparties financières de ses prestations ;

4o participer avec les administrations et les organismes professionnels intéressés à la fixation des normes des matériels de radiodiffusion et au contrôle de la mise en application de ces normes ;

5º assurer directement sans fil, ou conjointement avec l'administration des P. et T. par fil — aucune atteinte, dans ce dernier cas, ne pouvant être portée au monopole de cette administration sauf par décret contresigné par le ministre des P. et T. —, la distribution au public de ses programmes ou de tous autres programmes quelle qu'en soit l'origine d'une composition et d'une importance analogues à ceux de la R.T.F. Cependant, pour ces derniers programmes, des dérogations portant sur la distribution par fil peuvent être accordées par décret contresigné par le secrétaire d'Etat à l'Information et le ministre des P. et T. ;

6º conclure avec les administrations publiques intéressées, et notamment avec le ministre des P. et T. en ce qui concerne les télécommunications, toutes conventions destinées à assurer la radiodiffusion d'émissions sur les territoires où s'exerce l'activité de l'O.R.T.F. ; ces conventions doivent tenir compte du caractère de service public de la radiodiffusion ;

7º la loi du 31 décembre 1953 avait prévu que la R.T.F. ne pouvait, sans l'accord préalable du Parlement, concéder à qui que ce soit, en tout ou en partie, l'usage de ses moyens d'émissions, l'élaboration et le choix des programmes : il s'agissait d'un monopole de la production. Ce monopole a aujourd'hui disparu, ce qui permet à l'O.R.T.F. d'avoir recours à des sociétés privées pour la préparation d'émissions déterminées ou d'effectuer des coproductions avec des organismes privés.

Toute violation du monopole peut amener l'application de sanctions pénales (art. 39 du Code des

P.T.T. : emprisonnement d'un mois à un an, amende de trois mille six cents francs à trente six mille francs). Ainsi des radioélectriciens qui avaient installé des relais de réémission sur les territoires de plusieurs communes corses ont été condamnés à des peines d'amende.

3. **L'absence de monopole de la réception : les postes périphériques.** — Le monopole de l'O.R.T.F. est un monopole de l'émission non un monopole de la réception. Les auditeurs sont libres, dans la mesure où les conditions techniques s'y prêtent, de recevoir des émissions étrangères. Des stations se sont donc établies à proximité des frontières françaises, pour échapper à l'application du monopole de l'émission. Leurs émissions sont destinées au public français et sont, en général, en langue française. En fait, l'implantation à l'étranger est une simple installation matérielle de l'émetteur tandis que la préparation des programmes se fait en France, plus spécialement à Paris, où se trouvent les studios d'enregistrement. La finalité de ces postes est purement commerciale : ils tirent profit de la publicité. Cette finalité paraît la seule possible pour les postes périphériques. L'Etat français ne tolérerait pas longtemps des postes périphériques poursuivant un objectif politique hostile. La France détient deux moyens de pression efficaces à leur encontre.

Pour transporter leurs émissions de Paris à l'émetteur en territoire étranger, les postes périphériques sont contraints d'avoir recours aux Postes et Télécommunications qui mettent un câble à leur disposition. Un retrait de cette permission paralyserait l'activité des stations périphériques.

L'Etat contrôle de l'intérieur tous les postes

grâce à une importante prise de participation financière effectuée par une entreprise publique spécialisée, la Société Financière de la Radio (SOFIRAD)
dont il possède plus de 99 % du capital. A l'heure
actuelle, les participations de la SOFIRAD sont
de 97 % à Sud-Radio (Andorre), 80 % à Radio
Monte-Carlo, 35 % à la Société Images et Son qui
contrôle Europe n° 1, Télé Monte-Carlo... Des
intérêts français contrôlent également Radio et
Télé Luxembourg.

L'Etat français se fait ainsi concurrence lui-
même. Par l'intermédiaire de la SOFIRAD, il
tourne le monopole qu'il a conféré à l'O.R.T.F.

V. — Vers le pluralisme

Les progrès de la technique inclinent à penser
que, dans l'avenir, chaque Etat disposera de plusieurs entreprises de radiodiffusion organisées selon
des techniques différentes. On s'orientera alors,
dans la plupart des pays, vers un système que le
Japon pratique depuis plusieurs années, la concurrence d'un réseau public et d'entreprises privées
contrôlées. Cette formule permet de cumuler tous
les avantages : un réseau public garant de la qualité
des programmes et du rayonnement international
et un réseau privé animé par l'esprit d'entreprise.
On peut éviter ainsi le monopole dangereux pour
la liberté d'expression et le libéralisme intégral
facteur d'abêtissement.

CHAPITRE III

LE FINANCEMENT
DE L'ENTREPRISE DE RADIODIFFUSION

L'autonomie réelle dont dispose l'entreprise de radiodiffusion dépend de l'ampleur des ressources qui lui sont allouées. La complexité de la technique de la radiodiffusion et l'importance du public auquel elle s'adresse se conjuguent pour développer les dépenses de l'entreprise de radio et de télévision. Ces dépenses augmentent constamment en raison de la fourniture aux usagers de prestations de plus en plus nombreuses (développement du nombre des programmes diffusés et des heures d'émission) et d'une qualité sans cesse améliorée (télévision, télévision en couleurs, modulation de fréquence, stéréophonie...). Dans ces conditions, l'équilibre financier des organismes de radiodiffusion apparaît de plus en plus difficile à assurer et ceux-ci doivent avoir recours à toutes les sources de financement possibles.

Les modalités de financement de l'entreprise peuvent être très diverses. Le financement peut être assuré par *l'Etat* qui, eu égard au caractère de service public de la radio et de la télévision, fera fonctionner l'organisme selon les règles applicables à tous les services publics. Il en couvrira parfois les dépenses de manière globale (U.R.S.S. par exemple). Le plus souvent, l'aide de l'Etat sera partielle, la puissance publique n'interviendra que pour financer le déficit éventuel (Autriche, Canada, Espagne) ou pour contribuer à l'équipement technique du réseau (Pays-Bas, Suisse...).

Le financement peut résulter de la *perception d'une redevance sur les possesseurs de récepteurs de radio et de télévision*. Alors que le financement assuré par l'Etat sur ses recettes normales fait participer tous les contribuables aux dépenses de l'entreprise de radiodiffusion, cette seconde modalité permet de localiser la charge sur les seules personnes qui pourraient profiter du service de radio et de télévision. Des formules plus parfaites sont apparues à l'époque moderne : des chaînes de télévision transmettent leur programme moyennant un abonnement ou une redevance perçue par émission ou fraction de temps d'écoute ; dans ce cas, le lien entre le programme reçu et le paiement est encore plus direct.

Le financement peut également être assuré grâce à des *recettes commerciales*. Il s'agit alors principalement de la publicité et accessoirement de la vente d'émissions ou de publications diverses (disques, livres...) par l'organisme de radiodiffusion.

Le choix entre ces sources de financement dépend des structures de l'entreprise de radiodiffusion. Une entreprise publique de radiodiffusion se trouve, en général, financée par des ressources publiques ou des ressources perçues par voie d'autorité sur les possesseurs de postes, elle n'a recours à la publicité qu'en second lieu et celle-ci n'a, en général, qu'un rôle complémentaire. Une entreprise privée de radiodiffusion est au contraire financée en premier lieu, et souvent exclusivement, par des ressources commerciales.

I. — Ressources publiques

Parmi les diverses ressources publiques disponibles pour le financement de l'entreprise de radio-télévision, l'affectation à la radiodiffusion du produit d'une taxe paraît être la technique employée le plus souvent. De nombreuses taxes affectées au financement de l'organisme de radiodiffusion peuvent être prévues. Ainsi certains Etats (Canada, Italie, par exemple) ont instauré une taxe sur la vente des appareils de radiodiffusion dont le produit est versé à l'organisme de radiodiffusion. Un tel impôt risque cependant de diminuer la vente des récepteurs et de nuire à l'expansion des émissions.

La source de financement la plus directement liée à l'activité de l'organisme de radiodiffusion est une taxe perçue sur les possesseurs de récepteurs. A l'heure actuelle, plus de la moitié des Etats du globe ont choisi ce mode de financement. Les principaux Etats européens l'ont adopté. En France, la redevance représente environ 85 % des ressources de l'O.R.T.F. Tout détenteur d'un récepteur doit acquitter, annuellement et d'avance, en une seule fois, et pour une année entière, une redevance pour droit d'usage d'un montant égal au taux de base prévu pour ce récepteur.

1. **Nature de la taxe sur les postes récepteurs.** — La nature de la redevance radiophonique a été précisée en France par une décision du Conseil Constitutionnel. Cette décision est intervenue, le 11 août 1960, à la suite d'une querelle de compétence entre le Parlement et le gouvernement. Il s'agissait de déterminer les prérogatives exactes du Parlement quant au vote et à la fixation du taux de la redevance radiophonique. Dans sa décision, le

Conseil Constitutionnel estime que la redevance radiophonique ne saurait être assimilée à un impôt en raison tant de l'affectation donnée à cette redevance que du statut même de la R.T.F. Elle ne constitue pas davantage une « redevance », c'est-à-dire la contre-prestation d'un service rendu. Elle est, en revanche, une *taxe parafiscale*.

La redevance radiophonique se trouve, dès lors, soumise au régime prévu par l'article 4 de l'ordonnance du 2 janvier 1959. Elle peut être établie par décret en Conseil d'Etat pris sur le rapport du ministre de l'Economie et des Finances et du ministre chargé de l'Information. Sa perception, au-delà du 31 décembre de l'année de son établissement, doit être autorisée chaque année par la loi de finances. Cette autorisation se traduit par l'inscription de la redevance au tableau des taxes parafiscales, à cette occasion le Parlement exerce son contrôle sur la gestion antérieure. Mais, selon l'interprétation du Conseil Constitutionnel, le gouvernement est libre de modifier, par décret, *le taux* de la redevance radiophonique postérieurement à l'autorisation parlementaire. Le Parlement *épuise sa compétence* en donnant l'autorisation.

2. **Assiette de la taxe.** — Tout *détenteur* d'un poste de réception de radio ou de télévision doit en faire déclaration dès son entrée en possession. L'obligation de déclaration n'est pas liée à l'utilisation effective du poste. Il faut et il suffit qu'il s'agisse d'un dispositif permettant de recevoir les émissions de radio ou de télévision. L'obligation n'est pas non plus conditionnée par la réception effective des émissions ; aucune exemption n'est accordée dans les cas où les réceptions sont gênées par des parasites et ne donnent pas satisfaction à l'usager.

Il doit être fait, en principe, autant de déclarations qu'il y a de postes récepteurs détenus. Ce qui ne signifie pas que, dans tous les cas, plusieurs redevances seront perçues.

L'obligation de déclaration pèse également sur les *commerçants, artisans ou revendeurs* en matériel radioélectrique. Ils doivent faire souscrire une formule de déclaration par l'acheteur. Ils doivent, également, tenir un registre spécial des entrées et sorties de matériel.

Toutes ces obligations sont sanctionnées. Le détenteur s'expose au paiement d'une somme représentant cinq à dix fois le montant de la redevance et à la confiscation du poste. Le commerçant peut être frappé d'une amende de 100 à 10 000 F.

De très nombreuses exemptions, réductions ou remises de la taxe sont prévues.

Exemptions. — Toute personne qui peut bénéficier d'une exemption doit en demander le bénéfice dans les 45 jours de la mise en recouvrement du rôle. Les cas d'exemption suivants sont prévus.

Pour les postes de radiodiffusion :
— postes utilisés pour les besoins de service de l'O.R.T.F. dont la liste est arrêtée par décision du ministre de l'Information et du ministre chargé du Budget ;
— postes détenus par les établissements hospitaliers et d'assistance gratuite et les établissements d'enseignement public ou privé ;
— postes détenus à leur domicile par : les aveugles, mutilés de guerre de l'oreille, invalides au taux de 100 % ; les personnes âgées de 65 ans ou de 60 ans en cas d'inaptitude au travail, à condition qu'elles vivent seules ou avec leur conjoint, avec une personne ayant elle-même qualité pour être exonérée et appartenant à l'une des catégories suivantes :
— bénéficiaires de l'allocation aux vieux travailleurs salariés ou du secours viager ;
— titulaires de la carte sociale d'économiquement faibles ;
— bénéficiaires de l'allocation spéciale des articles 42 et 44

de la loi du 10 juillet 1952 ou de la majoration de l'article 45 de la même loi ;
— bénéficiaires d'une pension ou d'une rente de la Sécurité Sociale, de l'allocation vieillesse ou d'une pension de retraite dont le montant de ressources ne dépasse pas les plafonds fixés pour avoir droit à l'allocation des travailleurs salariés.

Pour les postes de télévision :
— postes utilisés pour les besoins du service de l'O.R.T.F. dont la liste est arrêtée par décision conjointe du ministre de l'Information et du ministre chargé du Budget ;
— postes en essai dans les laboratoires ou détenus par les commerçants en vue de la vente ;
— postes détenus par les mutilés et invalides civils et militaires réunissant l'une des conditions suivantes :
— être atteint d'une incapacité au taux de 100 % ;
— ne pas être imposable à l'impôt sur le revenu des personnes physiques ;
— vivre soit seul, soit avec le conjoint et les enfants à charge, soit avec une tierce personne chargée d'une assistance permanente.

Réduction. — Une réduction de 50 % des sommes exigibles annuellement au titre de la redevance d'usage des récepteurs de télévision utilisés dans une salle d'audition, de spectacle dont l'entrée est payante est accordée lorsque ces récepteurs sont régulièrement détenus par des associations de culture populaire ou des groupements de jeunesse légalement constitués et ne poursuivant la réalisation d'aucun bénéfice commercial ou financier. Le bénéfice de cette réduction est accordé par l'administration de l'O.R.T.F. après avis conforme du service compétent du ministère de l'Education Nationale.

3. Remises. — L'O.R.T.F. a la facilité d'accorder aux redevables en état de gêne ou d'indigence qui lui en feraient la demande une remise gracieuse totale ou partielle des redevances en principal et des pénalités impayées.

4. Liquidation de la taxe sur les postes récepteurs. — Pour l'application du taux de la redevance, les récepteurs sont classés en trois catégories :
— récepteurs détenus à quelque titre que ce soit,

ne rentrant pas dans la seconde ou la troisième
catégorie (radio 30 F ; télévision 100 F) ;
— récepteurs installés dans les débits de boissons
à consommer sur place de 2e, 3e et 4e catégorie
(radio 60 F ; télévision 400 F) ;
— récepteurs installés dans une salle d'audition
ou de spectacle dont l'entrée est payante
(radio 120 F ; télévision : taux fixé par référence
à un taux de base de 800 F).

En principe, il est dû autant de fois le taux de
base qu'il est possédé de récepteurs. C'est la règle
qui était pratiquée à l'origine. La multiplication
de récepteurs par foyer, puis la multiplication des
postes portatifs ont rendu nécessaire une interprétation plus souple. Le cumul de redevances
était mal accepté par l'opinion. Le contrôle de
l'utilisation des postes portatifs était très difficile.
C'est pourquoi une seule redevance annuelle de
première catégorie télévision couvre l'usage de
tous les postes récepteurs de radiodiffusion et de
télévision de première catégorie détenus et utilisés
dans la résidence principale ou dans des véhicules
et l'usage de tous les postes portatifs. En revanche,
les récepteurs détenus dans une résidence secondaire
entraînent le paiement d'une redevance supplémentaire.

5. **Recouvrement de la taxe sur les postes récepteurs.** — La taxe fait l'objet de rôles rendus exé-
cutoires par l'administration de l'O.R.T.F. Le
redevable en a connaissance par l'avertissement qui
lui est adressé. Un délai de deux mois à compter
de la date de l'échéance est accordé aux redevables
pour se libérer des redevances mises en recouvrement. Des pénalités de retard sont prévues. Les
créances demeurées impayées après cinq mois font

l'objet de poursuites exercées comme en matière de contributions directes. La *prescription* est acquise au profit des redevables pour les sommes que l'administration n'aura pas réclamées dans le délai de trois ans à compter de la date de leur exigibilité, sauf acte interruptif de droit commun. Elle est acquise au profit du budget de l'O.R.T.F. six mois après la date de perception.

6. **Contentieux de la taxe sur les postes récepteurs.** — A l'exception du contentieux des pénalités infligées aux commerçants qui relève du juge judiciaire, les litiges relatifs à la taxe doivent être portés devant le juge administratif. En effet, le décret du 24 août 1961 précise (art. 4) que ce sont les juridictions compétentes en matière de contributions directes qui sont appelées à connaître du contentieux de l'assiette et du recouvrement des taxes parafiscales. L'affaire sera portée devant le tribunal administratif dans le ressort duquel siège l'autorité qui a pris la décision assujettissant au paiement de la redevance.

II. — Ressources commerciales

La source de financement commercial la plus immédiatement concevable pour l'organisme de radiodiffusion consiste à percevoir une somme sur les possesseurs de postes en fonction du nombre d'heures d'écoute. Mais un tel système est, pour des raisons techniques, difficilement praticable. Jusqu'ici, il n'a été employé que par des organismes peu importants qui assurent la transmission de leurs émissions par fil.

Des ressources commerciales annexes peuvent exister pour l'organisme de radiodiffusion. L'enregistrement public de ses émissions, la vente de disques, films, publications ou la vente des bandes magnétiques sur lesquelles sont enregistrées les émissions à l'intention d'autres entreprises de radiodiffusion, la vente des titres et personnages peuvent donner l'occasion à l'entreprise de percevoir des ressources complémentaires. Leur importance reste cependant réduite par rapport à l'ensemble des ressources de l'entreprise (1,5 % pour l'O.R.T.F.).

La ressource commerciale principale à laquelle il peut être envisagé de faire appel est la publicité.

1. **Problème général du financement publicitaire.** — Le financement par la publicité pose des problèmes politiques et économiques.

La publicité, de manière générale, développe la consommation. Est-il souhaitable que des techniques de masse utilisant l'image et le son, autrement plus efficaces que l'écrit, soient utilisées dans ce but ? La solution dépend d'options économiques générales. La radio et la télévision étant apparues postérieurement à la presse, leur intervention en qualité de demandeur sur le marché de publicité risque de bouleverser le fragile équilibre existant. La situation financière des organes de presse dépend étroitement de l'existence de ressources publicitaires. En France, on estime généralement qu'une diminution de ressources de l'ordre de 5 à 10 % suffirait à mettre tout journal devant des difficultés insurmontables. Le danger apparaît ainsi de remettre en cause la liberté de la presse de manière indirecte.

Il est vrai qu'un tel obstacle n'est pas certain. Dans beaucoup d'Etats l'introduction de la publicité à la radio et à la télévision a provoqué une augmentation de l'offre globale de publicité, c'est notamment le cas aux Etats-Unis.

On peut également penser que l'on ne peut paralyser l'expansion d'un moyen de diffusion nouveau, la radiodiffusion, pour en favoriser un autre plus ancien, la presse. Celle-ci doit s'adapter aux conditions nouvelles. Certes, il appartient aux pouvoirs publics de faciliter cette adaptation et même d'aider financièrement la presse à supporter les conséquences de l'introduction de la publicité à la radiodiffusion. Différents remèdes peuvent être utilisés.

L'Etat peut *garantir* à la presse le *maintien de son budget publicitaire existant*. Il peut faire *collaborer la presse à la gestion de la télévision publicitaire*. Ainsi, au Japon, l'une des deux grandes compagnies privées de télévision est commanditée par les grands journaux. En Grande-Bretagne environ un quart du capital des sociétés de programmes est détenu par les organes de presse. Aux Etats-Unis, la plupart des organes de presse détiennent des participations dans les stations de radio et de télévision. Dans d'autres Etats, la publicité n'a été introduite à la radio et à la télévision qu'après un *accord avec la presse*. C'est notamment le cas en Italie. Le temps imparti à la publicité sur les écrans de télévision est fixé par un accord entre la R.A.I. et la Fédération italienne des éditeurs de journaux, le gouvernement intervenant, le cas échéant, comme arbitre. En Allemagne fédérale, le Südwestfunk a conclu, le 16 juillet 1959, un accord avec les éditeurs de journaux. Les parties y conviennent qu'une commission commune composée de représentants de la radiodiffusion et des associations de journaux sera associée à la fixation des tarifs publicitaires et à la composition des émissions commerciales. Le Südwestfunk s'oblige à donner à ses émissions publicitaires de télévision une physionomie telle qu'il n'en résulte aucun danger sérieux pour les bases économiques de la presse (émissions commerciales les seuls jours ouvrables, insérées dans des programmes d'une durée moyenne de trente minutes avec six minutes au maximum de publicité).

La publicité peut ainsi être introduite à la radio et à la télévision en accord avec la presse. Cette introduction dépend en grande partie du statut de l'entreprise de radiodiffusion. Une chaîne à statut privé se trouve, en général, financée par des ressources publicitaires et non par des taxes ou redevances perçues sur les auditeurs. En revanche, un organisme à statut public sera financé, de préférence, par une redevance perçue par voie d'autorité sur les auditeurs, ce qui n'exclura pas, à titre complémentaire, la recherche de ressources commerciales.

2. Le problème de la publicité en France. — Jusqu'en 1959, le caractère de service public administratif de la R.T.F. paraissait s'opposer à tout financement commercial. Depuis la transformation de la R.T.F. en établissement public à caractère industriel et commercial, l'entreprise de radiodiffusion peut recourir à un tel financement. Le gouvernement a cherché à développer les recettes publicitaires de l'Office.

Il l'a fait, en premier lieu, de façon *détournée* grâce à une loi du 24 mai 1951. En vertu de cette loi, la propagande collective d'intérêt national faite sous la forme d'émissions compensées peut être acceptée notamment en faveur du développement de la consommation de produits agricoles ou résultant de la transformation de produits agricoles dans le sens de la politique d'expansion agricole poursuivie par le gouvernement. Cette disposition a été interprétée extensivement. Conçue à l'origine pour la seule radio, elle est, depuis 1959, appliquée également à la télévision. Elle a été également utilisée pour de nombreux produits industriels ou des activités d'intérêt national. La loi de 1951 ne permet cependant pas la publicité de marques. Devant la volonté gouvernementale de développer les recettes publicitaires de l'O.R.T.F., une controverse constitutionnelle est née, certains parlementaires estimant que l'introduction de la publicité relève du domaine de la loi.

Le Conseil Constitutionnel saisi n'a pas pu se

prononcer clairement (décision du 30 janvier 1968). Sa décision reconnaît cependant un caractère réglementaire aux règles relatives à la « rémunération de toute activité à laquelle l'établissement est autorisé à se livrer » et à « la rémunération des services rendus sous quelque forme que ce soit » pour autant qu'aucune modification n'est apportée aux règles constitutives de l'O.R.T.F. Cette décision paraît autoriser la publicité sauf si par les modalités de son introduction elle venait à mettre en cause les missions d'information, de culture et de distraction assurées par l'Office.

En fait, la publicité de marques a été introduite à la télévision depuis le 1er octobre 1968.

DEUXIÈME PARTIE

LE STATUT DE LA PRODUCTION DE RADIO ET DE TÉLÉVISION

Le statut de la production de radio et de télévision doit être aménagé en fonction du respect de l'autonomie nécessaire à l'activité de l'entreprise. Le régime juridique du personnel (Chapitre Premier) et celui des programmes (Chapitre II) doivent prendre en considération la mission particulière de service public assumée par l'organisme de radiodiffusion.

Chapitre Premier

LE PERSONNEL DE L'ENTREPRISE DE RADIODIFFUSION

Pour que le détachement de l'entreprise de radiodiffusion par rapport à l'autorité gouvernementale soit réel, le personnel doit être doté d'un statut assurant son indépendance. Il est en effet nécessaire que le recrutement du personnel ne fasse aucune part à l'arbitraire politique, que les agents puissent accomplir leur mission à l'abri des pressions que les intérêts politiques ou commerciaux sont tentés d'exercer sur eux.

Il est aussi indispensable que le personnel soit soumis à une déontologie précise. Il détient en effet, dans la société contemporaine, un très grand pouvoir. En contact direct avec l'opinion publique, il bénéficie d'un prestige inégalé. Si la pression du gouvernement sur le personnel est à redouter, celle du personnel sur l'opinion n'en doit pas moins être combattue, celle-ci ne doit pas être à la merci des « vedettes » de radio et de télévision.

Ces impératifs du statut des agents dans un régime libéral sont rarement posés. Il est vrai que la variété du personnel de l'entreprise de radio-diffusion explique la difficulté de construire un statut conforme. Trois grandes catégories d'agents, technique, artistique, journaliste, se trouvent, en effet, associées au fonctionnement de la radio et de la télévision. Si l'indépendance du personnel journaliste doit être absolument assurée, elle s'impose moins dans le secteur artistique, elle n'a pas de sens dans le secteur technique. A ces exigences du libéralisme se joignent celles qui sont liées à l'évolution des techniques et des goûts du public. Les besoins de la radiodiffusion évoluent vite. Il est nécessaire d'organiser le statut des agents en fonction de la mobilité. Les règles de stabilité de la fonction publique ne paraissent pas convenir au monde mouvant de la radio et de la télévision. Il est difficile de concilier la nécessaire mobilité du personnel avec l'indépendance dont il doit bénéficier.

La plupart des Etats étrangers ont soumis le personnel à un statut de droit privé qui permet seul la souplesse de gestion nécessaire à une entreprise de radio et de télévision. En France, l'évolution récente a conduit au détachement du personnel de la fonction publique.

I. — Évolution du statut du personnel de la R.T.F.

La situation du personnel avant la transformation de la R.T.F. en établissement public à caractère industriel et commercial était très complexe.

A l'origine, le personnel de la R.T.F., provenant du ministère des P.T.T., jouissait de la qualité de fonctionnaire. Un décret du 1er novembre 1939 prononçait l'affectation de fonctionnaires issus de l'administration des Postes au service de la Radiodiffusion Française.

Une loi du 7 novembre 1942 retirait la qualité de fonctionnaire à une grande partie du personnel. Elle réservait en principe cette qualité au personnel de direction et posait, en principe, le recrutement par contrat dans les conditions du droit commun. Une ordonnance du 25 juin 1945 était revenue sur cette règle. Elle maintenait, intégrait ou réintégrait comme fonctionnaires titulaires de la Radiodiffusion Française les fonctionnaires titulaires ayant déjà la qualité de fonctionnaires de la Radiodiffusion Française à la date de la publication de l'ordonnance, les agents contractuels en fonction à la date de publication de l'ordonnance et ayant appartenu avant le 1er janvier 1943 à la Radiodiffusion en tant que fonctionnaires titulaires (ils étaient considérés, dans ce cas, comme n'ayant jamais perdu la qualité de fonctionnaires), les agents nommés à la suite des concours postérieurs au 1er janvier 1943 dont la liste était fixée par arrêté des ministres de l'Information et des Finances. De nombreuses dispositions particulières réglaient la situation de ces fonctionnaires.

Parallèlement à ce personnel fonctionnaire, se trouvaient des agents recrutés par contrat. Pendant quelques années, cette situation contractuelle avait été considérée de manière générale comme synonyme de condition de droit privé. Mais la réapparition de la notion de service public dans la définition de la plupart des notions du droit administratif devait poser un problème nouveau.

Dans des conclusions devant le Conseil d'Etat prononcées à l'occasion de l'affaire Evrard, le commissaire du gouvernement estimait qu'un speaker de la R.T.F., par sa participation directe à l'exécution du service public d'information, devait être considéré comme placé dans une situation de droit public (1) et le Conseil d'Etat optait expressément dans ce

---

(1) 5 juillet 1957, Evrard, Rec. 446, concl. Tricot.

sens à l'occasion d'une affaire Syndicat National des Speakers (1). Cette jurisprudence consacrait l'existence d'une catégorie particulière de personnel, aux contours imprécis, celle des agents contractuels, de droit public.

Les divers régimes du personnel de la R.T.F. n'étaient pas satisfaisants et la nécessité d'une réforme apparaissait avec urgence. Tout d'abord, parce que le régime existant était trop complexe. Un rapporteur parlementaire avait ainsi pu noter que les divers personnels de la R.T.F. « n'arrivaient plus à être classés dans le cadre d'un statut cohérent : titulaires d'emplois administratifs, auxiliaires ou contractuels du régime classique de la fonction publique, journalistes, collaborateurs de production divers avaient tous des régimes différents » (2). D'autre part, parce que ce régime ne satisfaisait ni aux besoins de la direction, ni à ceux des agents. La direction se plaignait de subir, dans l'administration du personnel, les contraintes de la situation de fonctionnaire. L'évolution des goûts du public qui se conjugue avec l'évolution des techniques exige une grande mobilité du personnel. Or, les règles de la fonction publique sont conçues en fonction de la stabilité et elles ne correspondent pas, en conséquence, aux nécessités de la gestion du service de la radiotélévision. Le personnel, lui, souhaitait s'évader de la condition publique pour obtenir une rémunération comparable à celle appliquée dans le secteur privé et une plus large autonomie. Il reconnaissait, d'autre part, l'inadaptation des règles de la fonction publique à la spécificité de son activité.

---

(1) 10 avril 1959, Rec. 231.
(2) *Documents*, Sénat, annexe au procès-verbal, 1ʳᵉ séance du 15 novembre 1960, p. 12, annexe n° 43, rapporteur spécial M. Houdet.

II. — Caractères généraux
de la nouvelle condition du personnel

1. Le principe : la situation statutaire de droit privé. — Depuis l'ordonnance du 4 février 1959, le personnel, à l'exception de la direction, est placé dans une situation de *droit privé*. Mais les conditions de travail et de rémunération ne sont pas, pour l'essentiel, l'effet d'un contrat librement débattu entre la direction et le postulant à un emploi. Elles résultent d'un statut édicté par l'autorité publique, le décret du 22 juillet 1964, pris sur la base de la loi du 27 juin 1964, qui peut être constamment modifié. Cette condition statutaire implique simplement l'exclusion du régime des conventions collectives mais elle ne s'oppose pas à la reconnaissance de la condition de droit privé du personnel. C'est pourquoi les litiges individuels entre le personnel et la direction relèvent de la compétence du Conseil des prud'hommes.

Le statut du personnel s'est efforcé de tenir compte des nécessités du service assumé par l'O.R.T.F. Il donne à la direction de très larges pouvoirs à l'égard du personnel dans la définition des conditions de recrutement, l'avancement, la possibilité d'affecter un agent à une autre fonction que sa fonction statutaire, la possibilité de mettre fin au contrat de travail. Ces pouvoirs ont été conférés à la direction pour que le personnel soit toujours en mesure de s'adapter aux besoins de l'Office. En la matière, cette extension des pouvoirs de la direction peut prêter à controverses : ces prérogatives risquent en effet d'être utilisées dans un sens politique. On fera cependant remarquer que les tribunaux judiciaires peuvent sanctionner tout détournement de pouvoir en ce domaine. Le statut rappelle la règle de non-discrimination en fonction des opinions politiques ou des apparte-nances syndicales. D'autre part, l'exigence d'objec-tivité a été particulièrement affirmée pour le personnel journaliste. Les journalistes doivent en effet respecter la charte des devoirs du journalisme et les principes démocratiques de l'objectivité et de la liberté d'expression et le devoir d'information impartiale tenant compte des convictions religieuses, politiques et philosophiques des auditeurs et télé-spectateurs en même temps que du retentissement particulier de l'information radiophonique et télé-visée sur les plans national et international. Les journalistes peuvent se prévaloir de la *clause de conscience* qui leur permet de demander la cessation du contrat de travail et le versement d'une indem-nité de licenciement, si la direction les empêche d'exercer dans des conditions normales leur métier de journaliste. Le personnel peut ainsi, s'il le désire, assurer ses fonctions avec des garanties convenables. Il bénéficie au surplus des libertés syndicales fondamentales.

2. **L'organisation syndicale et le droit de grève.** — Le droit syndical est reconnu aux agents de l'Office. Tout agent de l'Office a, en effet, le droit d'adhérer librement à un syndicat professionnel de son choix constitué conformément à la loi. L'Office ne prend pas en considération le fait d'appartenir ou de ne pas appartenir à une organisation syndicale donnée pour arrêter une décision quelconque à l'égard d'un agent, notamment en ce qui concerne le recrute-ment, l'affectation, la promotion fonctionnelle, la promotion pécuniaire ou les mesures de discipline et de licenciement.

L'Office accorde aux organisations syndicales représentatives toutes facilités pour leur permettre d'accomplir leur mission. Une décision du directeur général de l'Office détermine, après consultation desdites organisations, les facilités ainsi accordées. Les organisations syndicales, qui disposent de représentants dans les conseils et comités paritaires de l'établissement, doivent faire connaître au directeur général le nom des membres de leurs bureaux et le tenir informé de toute modification en affectant la composition.

Les agents de l'Office bénéficient également du *droit de grève*. A la différence de la grève politique toujours interdite, la grève pour la défense des intérêts professionnels est libre à la condition que soit respecté le préavis de grève (cinq jours francs : loi du 31 juillet 1963). Toutefois, le Conseil d'Etat a jugé que des limitations peuvent être apportées à ce droit de grève dans le but de maintenir la continuité du service public. Cette jurisprudence, appliquée lorsque la R.T.F. ne constituait pas un établissement public, a été maintenue depuis 1959. Le secrétaire d'Etat à l'Information dispose de pouvoirs de tutelle lui donnant notamment compétence pour veiller à l'observation des obligations générales découlant du caractère de service public de l'Office, c'est-à-dire pour assurer en particulier la continuité des éléments du service essentiels aux nécessités de l'ordre public. Il peut ainsi prévoir par circulaire qu'en cas de grève le personnel est tenu d'assurer un service d'information minimum et interdire l'exercice du droit de grève aux personnes assumant des responsabilités, de direction ou d'encadrement (ou à défaut les agents normalement appelés à les remplacer en cas d'absence). Le directeur général de l'O.R.T.F. peut prendre les mesures nécessaires à l'application d'une telle circulaire.

Dans la pratique, l'application du statut du personnel n'est pas satisfaisante. La direction n'a pas toujours résisté à l'utilisation de ses prérogatives dans un sens politique. Le personnel n'a pu utiliser les droits que lui donnait son statut pour faire respecter sa dignité et il s'est lancé, en mai-juin 1968, dans une longue grève. Il faut espérer que progressivement l'idée d'une autonomie raisonnable du personnel l'emportera aussi bien auprès des autorités que du personnel. Cela n'est pas une affaire de droit — le statut actuel du personnel est satisfaisant —, mais une question de morale professionnelle dont l'opinion doit imposer le respect au gouvernement et aux agents de l'Office.

Chapitre II

LES PROGRAMMES
DE L'ENTREPRISE DE RADIODIFFUSION

La radiodiffusion constitue un cadre privilégié d'expression des idées et des informations. Ses programmes doivent être dotés d'un statut permettant le respect et l'épanouissement de cette liberté d'expression affirmée par de nombreux textes fondamentaux.

Sur le plan *international*, des dispositions relatives à la liberté d'expression par le moyen de la radiodiffusion se retrouvent dans la Déclaration universelle des droits de l'homme et la Convention européenne des droits de l'homme et des libertés fondamentales. La Déclaration universelle affirme, en son article 19 :

« Tout individu a droit à la liberté d'opinion et d'expression, ce qui implique le droit de ne pas être inquiété pour ses opinions et celui de chercher, de recevoir et de répandre, sans considération de frontière, les informations et les idées par quelque moyen d'expression que ce soit. »

L'article 10 de la Convention européenne dispose :

« Toute personne a droit à la liberté d'expression. Ce droit comprend la liberté d'opinion et la liberté de recevoir ou de communiquer des informations ou des idées, sans qu'il puisse y avoir ingérence d'autorités publiques et sans considération de frontière. Le présent article n'empêche pas les Etats de soumettre les entreprises de radiodiffusion, de cinéma ou de télévision à un régime d'autorisations. »

Parmi les textes *constitutionnels*, certains sont extensifs et envisagent tous les moyens de diffusion, la radiodiffusion étant implicitement incluse dans ce large énoncé ; ainsi la Constitution italienne (art. 21) dispose :

« Tout individu a le droit d'exprimer librement sa pensée par la parole, par l'écrit et par tout autre moyen de diffusion.»

D'autres Constitutions envisagent expressément le cas de la radiodiffusion. La loi fondamentale de la République fédérale d'Allemagne prescrit (art. 5, § 1) :

« Chacun a le droit d'exprimer et de diffuser librement ses opinions, par la parole, par la plume et par l'image, ainsi que celui de s'instruire sans entrave en recourant à des sources accessibles à tous. La liberté de la presse ainsi que la liberté du reportage par radio et par film sont garanties. Il n'y a pas de censure. »

En *France*, la Constitution du 4 octobre 1958 ne contient aucune disposition spéciale relative à la radio et à la télévision mais le Conseil Constitutionnel a reconnu que la Radiodiffusion-Télévision Française a pour objet, notamment, la communication des idées et des informations et qu'elle intéresse ainsi une liberté publique. Il n'a fait ainsi qu'appliquer à la radiodiffusion l'article 11 de la Déclaration des droits de l'homme et du citoyen de 1789, aux termes duquel :

« La libre communication des pensées et des opinions est un des droits les plus précieux de l'homme : tout citoyen peut donc parler, écrire, imprimer librement, sauf à répondre de l'abus de cette liberté dans les cas déterminés par la loi. »

Le contenu de la liberté ainsi affirmée par les textes constitutionnels apparaît très étendu. Le statut des programmes doit être aménagé de manière à permettre la libre communication des idées et des informations. Pour cela, il faut réduire au minimum les ingérences gouvernementales dans la vie de l'organisme de radiodiffusion et affirmer, au bénéfice des principaux groupes politiques, philosophiques ou religieux, un droit à l'antenne. Il est, d'autre part, nécessaire de limiter les droits privés qui peuvent paralyser l'activité de l'entreprise de radiodiffusion, tels les droits de la personnalité, ou les droits d'auteur, et permettre la mise en jeu de la responsabilité de cette entreprise si elle a contrevenu à ses obligations. Il s'en faut de beaucoup que le droit positif permette le respect effectif de toutes ces exigences.

I. — Le contrôle des programmes

Le statut des émissions de radiodiffusion doit être organisé en fonction d'exigences contradictoires. L'influence que ces programmes peuvent avoir sur le public implique un régime libéral, afin qu'il n'y ait aucune volonté d'endoctrinement des citoyens, aucune emprise gouvernementale arbitraire. Mais cette même influence exige que les émissions soient disciplinées, afin d'être orientées dans l'intérêt public, afin d'éviter qu'elles ne lèsent des intérêts privés légitimes.

La solution la plus libérale reste l'édiction d'un Code législatif des émissions sanctionné, le cas échéant, *a posteriori* par l'autorité judiciaire. Mais, dans de nombreux Etats, la législation relative aux émissions de radiodiffusion, soit n'est pas élaborée, soit est en retard par rapport à la législation sur la presse. Un tel retard s'explique par des motifs particuliers à la radiodiffusion.

La radiodiffusion s'est développée, dans la plupart des pays, sous un régime d'intervention publique accentuée, alors que la presse avait été, elle, abandonnée à l'initiative privée. Cela explique qu'à l'origine on ne se soit pas immédiatement préoccupé d'exercer un contrôle sur les programmes pour veiller à la moralité ou à la valeur éducative ou informative de leur contenu, pour réprimer les délits commis par ce nouveau moyen de communication et protéger les droits des tiers lésés par des émissions. L'intervention publique paraissait garantir une prévention suffisante de toutes les difficultés.

D'autre part, les caractéristiques techniques compliquent l'élaboration d'une législation relative à la radiodiffusion. Il est relativement facile de poser des obstacles à la diffusion d'un journal ou d'un film en limitant les catégories de personnes auxquelles ils s'adressent (médecins, personnes de plus de dix-huit ans par exemple). Il est dans la nature de l'émission de radio ou de télévision de pouvoir être captée par quiconque possède un récepteur. Seules des solutions extrêmes sont alors possibles. Ou bien on autorise toutes sortes d'émissions et alors on risque de choquer certains publics peu préparés à recevoir certains programmes. Ou bien on interdit toutes les émissions qui peuvent susciter de telles réactions et l'on prive alors une partie des auditeurs ou des téléspectateurs de programmes qu'ils souhaitent recevoir. Le contact immédiat entre le public et l'émission interdit la souplesse de la législation sur la presse ou sur le cinéma. La prise de conscience de l'influence de la radio et de la télévision a conduit, dans de nombreux Etats, à aggraver le contrôle des émissions par rapport au droit commun de la presse. La législation sur les programmes étant souvent très vague, c'est un véritable pouvoir discrétionnaire qui est reconnu aux organes chargés du contrôle. Tous les Etats reconnaissent la nécessité d'un contrôle administratif des programmes. Mais ils diffèrent dans l'édification pratique de ce contrôle, d'une part, au point de vue de l'aménagement des organes de contrôle et des pouvoirs qui leur sont conférés, d'autre part, quant aux normes générales en vertu desquelles le contrôle est effectué.

1. **Les organes de contrôle.** — Le contrôle sur les émissions de radio et de télévision est effectué, dans la plupart des Etats, par des organismes administratifs spécialisés.

Dans les pays qui remettent à des entreprises privées le service de radiodiffusion, un organisme public est chargé d'édicter les normes relatives aux programmes et de veiller à leur application effective ; c'est le cas aux Etats-Unis. Aucun programme n'est soumis à l'organe officiel de contrôle avant sa diffusion. Le contrôle reste un contrôle *a posteriori*, nuancé par l'édiction de normes réglementaires relatives aux programmes.

Dans les Etats où existe un organisme public ou parapublic de radiodiffusion, le contrôle est assuré par la direction de l'organisme, elle-même éventuellement assistée par des comités de programmes : telle est la situation française. Le contrôle est alors un contrôle *a priori* comportant un véritable droit de censure sur les programmes, contrôle particulièrement dangereux en raison du caractère public de l'entreprise de radiodiffusion.

A) *La solution de type français : La censure préalable des programmes.* — Dans cette première solution, la direction publique de l'organisme de radiodiffusion possède un droit de contrôle préalable sur les programmes. Elle peut ainsi, le cas échéant, les censurer. Cela ne signifie pas qu'en pratique elle le fasse effectivement. En Grande-Bretagne et en France, cette prérogative n'est pas utilisée de la même manière. Dans le premier pays elle est un remède ultime d'usage exceptionnel, dans le second, elle est fréquemment utilisée.

En *France*, le contrôle *a priori* des émissions est assuré par la direction de l'O.R.T.F., assistée par deux comités de programmes, l'un pour la radio, l'autre pour la télévision (1).

a) *Composition des comités de programmes.* — Le *comité de programmes de radiodiffusion* comprend : *huit membres titulaires et huit membres suppléants représentant les services publics*, choisis après consultation des ministres chargés de l'Information, des Affaires Culturelles et des Affaires Economiques, ainsi que les ministres de la Justice, des Affaires Etrangères, de l'Intérieur, de l'Education Nationale, de la Santé Publique et de la Population ; *huit membres titulaires et huit membres suppléants, choisis parmi les personnalités particulièrement compétentes* pour les questions familiales et sociales et les problèmes de la jeunesse et notamment parmi des sociologues, psychologues, éducateurs, magistrats, médecins et pédagogues ; *huit membres titulaires et huit membres suppléants choisis parmi les personnalités particulièrement qualifiées* dans le domaine des Arts, des Lettres, des Sciences, de la Musique, des Variétés et de la Radiodiffusion, dont au moins un membre titulaire et un membre suppléant choisis parmi les producteurs de radiodiffusion de l'Office et un membre titulaire et un membre suppléant choisis parmi les réalisateurs de radiodiffusion de l'Office.

Le *comité des programmes de télévision* comprend : *huit membres titulaires et huit membres suppléants représentant les services publics*, choisis après consultation des ministres de l'Information, des Affaires Culturelles, de la Justice, des Affaires Etrangères, de l'Intérieur, de l'Education Nationale, de la Santé Publique et de la Population, et du ministre chargé des Affaires Economiques ; *huit membres titulaires et huit membres suppléants choisis parmi les personnalités particuliè-*

(1) Décret n° 64-720 du 22 juillet 1964 et arrêté du 3 février 1965.

rement compétentes pour les questions familiales et sociales et les problèmes de jeunesse et notamment parmi des sociologues, psychologues, éducateurs, magistrats, médecins et pédagogues ; *huit membres titulaires et huit membres suppléants choisis parmi les personnalités particulièrement qualifiées* dans le domaine des Arts et Lettres, des Sciences, de la Musique, des Variétés et de la Télévision, dont au moins un membre titulaire et un membre suppléant choisis parmi les producteurs de télévision de l'Office et un membre titulaire et un membre suppléant choisis parmi les réalisateurs de télévision de l'Office.

Deux des membres dans chacun des comités doivent être membres du bureau d'une association d'auditeurs et de téléspectateurs.

Le président du Conseil d'administration et le directeur général ont la faculté d'assister aux séances des comités des programmes. Ils peuvent s'y faire représenter. Les directeurs et chefs de services peuvent être entendus en présence ou avec l'autorisation du directeur général. Enfin, les présidents des comités peuvent, avec l'accord du directeur général, demander à des personnalités appartenant ou non à l'O.R.T.F. de participer à titre consultatif soit à leurs séances soit à celles de sous-commissions ou leur confier l'étude de problèmes déterminés.

b) *Le pouvoir des comités de programmes.* — Il est simplement consultatif. Ces comités ont pour mission, dans la limite de leurs compétences, et à la demande du président du Conseil d'administration et du directeur général de l'O.R.T.F., d'émettre des avis sur la composition et l'orientation de l'ensemble des programmes ainsi que sur l'équilibre à établir entre les différents genres et de faire toutes suggestions qu'ils jugeraient propres à favoriser le développement et la qualité des émissions. Ils ont également pour mission d'étudier les œuvres et projets d'émissions qui leur sont soumis par le président du Conseil d'administration et le directeur général de l'O.R.T.F. Les avis et propositions émis par les comités de programmes sont transmis au président du Conseil d'administration et au directeur général.

Lorsque le comité des programmes de radiodiffusion ou le comité des programmes de télévision émet un avis défavorable, la réalisation de l'œuvre ou du projet d'émission ne peut être poursuivie que sur décision expresse du directeur général. Avant de prendre une telle décision, le directeur général a l'obligation de provoquer un deuxième examen de l'œuvre ou du projet par le comité.

Si les modalités techniques de la réalisation de l'émission et de son passage à l'O.R.T.F. le permettent et dans chaque cas sur décision du président du Conseil d'administration ou du directeur général de l'O.R.T.F., les œuvres ou émissions prêtes à être diffusées sont présentées audit comité avant leur diffusion. En cas d'avis défavorable du comité, leur diffusion n'est possible qu'après une nouvelle consultation du comité de programmes et par décision expresse du directeur général. Les deux présidents de comités de programmes peuvent être entendus par le Conseil d'administration de l'Office, lorsque les questions relevant de la compétence de ces comités figurent à l'ordre du jour.

En revanche, toute question relevant de la compétence exclusive du Conseil d'administration telle qu'elle est définie en particulier par l'article 4 de la loi du 27 juin 1964 ne peut faire l'objet d'aucun débat au sein des comités de programmes. Les comités de programmes sont des comités spécialisés chargés d'émettre des avis sur la qualité des programmes, il ne leur appartient pas de discuter des questions de principe, de politique générale qui peuvent se poser. Une limite de fait bien plus importante existe quant aux pouvoirs des comités de programmes. Les exigences de l'actualité interdisent de soumettre un grand nombre d'émissions à l'avis préalable des comités de programmes.

De manière générale, les comités de programmes ont une fonction principale qui consiste à juger de la qualité des émissions. Leur appréciation porte essentiellement sur la valeur artistique, scientifique ou culturelle de l'émission. La direction n'est pas obligée de suivre les recommandations. Aussi, la fonction de censure est-elle souvent assumée par la direction elle-même qui va statuer, au gré des espèces, sans être liée par des règles juridiques connues du public.

Les seuls échos de la censure que ce public possède sont alors soit l'annonce par la presse de l'interdiction d'une émission, soit l'information préalable par le présentateur qu'une émission déterminée n'est pas recommandée aux personnes sensibles ou aux enfants : pendant toute la durée de l'émission télévisée, un carré blanc rappellera ce conseil sur l'écran.

En Grande-Bretagne, le *Post Master* général peut interdire à la B.B.C., par écrit, de diffuser à un moment déterminé ou en tout temps un sujet quelconque ou une catégorie de sujets dûment spécifiés. Mais ce dernier pouvoir n'a été exercé que de manière exceptionnelle. En 1939, le ministre fit interrompre, sans préavis, le programme de télévision qui n'était reçu, à l'époque, que par un nombre de personnes limité. La B.B.C. doit être entourée d'un Conseil général consultatif. L'Independent Television Authority est assistée par un General Advisory Conseil qui lui donne des conseils en matière de programmes.

En Italie, la R.A.I. est tenue de soumettre, chaque trimestre, au ministère des Postes et Télécommunications, le plan et les horaires des programmes qu'elle compte réaliser. Ce ministère prend sa décision sur l'avis d'un comité des programmes.

B) *La solution de type américain : l'absence de censure préalable.* — Dans cette seconde solution, l'autorité publique ne possède aucun pouvoir de contrôle *a priori* des programmes. Elle peut, simplement, si l'organisme de radiodiffusion n'observe pas une réglementation fixée à l'avance, le sanctionner en lui retirant la licence dont il bénéficie.

Aux Etats-Unis, les règles essentielles relatives aux programmes sont fixées par un organisme officiel, la Federal Communication Commission (F.C.C.), qui peut interdire certaines catégories d'émissions. La F.C.C. peut sanctionner une station qui n'observe pas cette réglementation mais elle ne possède aucun pouvoir de censure préalable. Le contrôle sur les programmes est également assuré par la National Association of Broadcasters (N.A.B.), organisme privé qui regroupe les propriétaires des principales entreprises de radiodiffusion. La N.A.B. s'est efforcée d'établir une réglementation professionnelle des émissions sous forme de *standards*.

2. Les normes relatives au contrôle. — Pour éviter toute censure abusive, il paraît souhaitable que les organes chargés d'exercer le contrôle sur les programmes accomplissent leur mission en vertu de critères objectifs déterminés à l'avance et non en vertu de règles fixées arbitrairement à l'occasion de chaque émission. Des codes de normes concernant les programmes sont élaborés de manière plus ou moins complète dans certains Etats. Les Etats dans lesquels le droit de la radiodiffusion et de la télévision est développé ont élaboré des règles spécifiques relatives aux programmes non commerciaux et aux programmes commerciaux.

A) *Les normes relatives au contrôle des programmes non commerciaux.* — Les normes de contrôle des programmes non commerciaux ont pour but soit d'amener la présentation d'émissions correspondant à la fonction de service public des organismes de radiodiffusion, soit d'éviter la présentation d'émissions immorales ou contraires à l'ordre public. La recherche d'émissions de qualité adaptées à la fonction de service public provoque dans les réglementations des dispositions relatives à la qualité, à l'objectivité et à la véracité des informations présentées (France, Belgique, Etats-Unis...) ou insistant sur le rôle culturel de la radiodiffusion.

D'autres normes visent à interdire certaines catégories d'émissions. On voit ainsi des dispositions inciter les organismes de radiodiffusion au conformisme constitutionnel ou social en interdisant les émissions contraires à la Constitution ou aux lois ou qui mettent en cause des groupes sociaux particuliers (République fédérale allemande, Suisse...), les émissions immorales, les loteries (Etats-Unis). La responsabilité particulière de l'organisme de radiodiffusion dans les relations internationales amène également à interdire la diffusion d'émissions qui peuvent altérer les rapports avec des pays étrangers.

En France, rares sont les critères objectifs relatifs au contenu des programmes s'imposant à la direction de l'O.R.T.F. qui aient été fixés par le législateur. On trouve, tout d'abord, une directive générale dans le statut de l'O.R.T.F. Le Conseil d'administration « s'assure de la qualité et de la moralité des programmes. Il veille à l'objectivité et à l'exactitude des informations diffusées par l'Office. Il vérifie que les principales tendances de pensée et les grands courants d'opinion peuvent s'exprimer par l'intermédiaire de l'Office ». D'autre part, le statut des journalistes contient des dispositions obligeant ces collaborateurs de l'Office au respect des principes démocratiques et de la liberté d'expression et leur rappelant le devoir d'information impartiale tenant compte des convictions religieuses, politiques et philosophiques des auditeurs et téléspectateurs en même temps que du retentissement particulier de l'information radiophonique et télévisée sur les plans nationaux et internationaux. La radiodiffusion ou la télévision des débats des Assemblées parlementaires ne peut s'effectuer que sous le contrôle du bureau de chacune des Assemblées.

En Belgique, il est interdit aux instituts de procéder à des émissions contraires aux lois ou à l'intérêt général, à l'ordre public ou aux bonnes mœurs, ou constituant un outrage aux convictions d'autrui ou une offense à l'égard d'un Etat étranger. La loi relative au statut de la Radiodiffusion-Télévision Belge décide que les émissions d'information doivent être faites dans un esprit de rigoureuse objectivité et sans aucune censure préalable.

Aux Etats-Unis, la Federal Communication Commission, sans posséder un droit de censure, peut contraindre les stations à émettre des programmes d'une qualité déterminée. Elle peut interdire certaines catégories d'émissions telles que les émissions immorales ou subversives, les émissions concernant les loteries (par ailleurs prohibées par la loi pénale). La F.C.C. veille également à l'impartialité des stations et à ce que les considérations commerciales ne conduisent pas à des excès. La Federal Communication Commission a décidé que l'intérêt public exigeait qu'un certain temps d'émission soit consacré à la discussion des événements et problèmes d'intérêt public.

En fait, on a remarqué que dans l'ensemble les chaînes de radiodiffusion, singulièrement celles de New York, n'offrent que très peu de commentaires ou de points de vue traduisant une position personnelle. Plus le réseau d'émission est riche et puissant, moins il apparaît capable de s'écarter de l'opinion moyenne (1).

La National Association of Radio et Television Broadcaster a également établi un code contenant des standards relatifs aux programmes.

En Grande-Bretagne, il est prévu que la B.B.C. doit diffuser un compte rendu journalier et impartial, établi par des reporters professionnels, des débats des deux assemblées parlementaires. D'autre part, les dispositions relatives au contrôle des programmes émis par l'Authority Independent précisent notamment :

L'Authority Independent doit s'assurer : qu'il soit accordé dans les programmes un temps suffisant aux nouvelles et actualités et que toutes les nouvelles données dans les programmes (sous quelque forme que ce soit) soient présentées

(1) V. *Controversy on Radio and TV*. Étude entreprise pour le compte de la Civil Liberties Educational Foundation par le Department of Communications in Education de l'Université de New York, 38 p.

avec l'exactitude et l'impartialité voulues ; qu'une impartialité de rigueur soit respectée par les personnes fournissant les programmes en ce qui concerne les sujets de controverses politiques ou industrielles ou touchant à la politique du jour.

B) *Les normes relatives au contrôle des programmes commerciaux.* — Dans les Etats qui ont instauré la radio ou la télévision publicitaire, la nécessité est apparue de fixer certaines règles nécessaires pour *moraliser* la publicité et éviter qu'elle ne monopolise les ondes au détriment de programmes culturels ou d'information. Il a également fallu protéger le public contre l'utilisation de techniques d'action psychologique qui atteindraient son libre arbitre.

Différentes réglementations de la publicité peuvent être envisagées. Pour éviter que la publicité n'envahisse les programmes, il faut délimiter, avec précision, le *nombre* des séquences de publicité admises chaque jour et leur *durée*. On fixe généralement une proportion de séquences de publicité par rapport à la durée totale des programmes (Allemagne fédérale, Italie, Portugal, Pérou, Brésil).

Une réglementation de la *forme* de la publicité apparaît également nécessaire. La publicité peut être insérée dans le corps des programmes ou seulement dans les intervalles entre les programmes. Cette deuxième modalité permet de limiter l'influence néfaste que pourrait avoir la publicité sur la qualité des programmes. La publicité peut être soit directe, soit indirecte. Dans ce deuxième cas la publicité n'apparaît pas en tant que telle à l'auditeur ou téléspectateur ; elle n'en influence pas moins l'esprit. Le public doit avoir la garantie que les émissions autres que commerciales n'ont d'autre but que de l'informer, de l'instruire ou de le divertir. C'est à cette condition qu'il place sa confiance dans l'organisme de radiodiffusion. Par conséquent si celui-ci entend faire de la publicité commerciale ou de la propagande politique, il doit opérer de manière franche et loyale et présenter ses programmes comme tels. C'est pourquoi aux Etats-Unis le § 317 du Communication Act précise que toutes les émissions pour lesquelles de l'argent, une rémunération directe ou indirecte, a été promis ou payé par quelque firme ou personne doivent être annoncées comme telles. L'identité de ces personnes ou sociétés doit être révélée. La Federal Communications Commission s'efforce également de lutter contre les pratiques consistant à offrir des avantages pécuniaires ou en nature aux employés des organismes de radiodiffusion *(payola practices)* pour les inciter à diffuser certains disques.

Fort proche de la publicité indirecte est la publicité qui vise à agir sur l'esprit par des procédés psychotechniques. On sait qu'il est possible d'agir de la sorte, en intercalant plusieurs fois au cours d'une séquence télévisée, pendant une durée de l'ordre du seizième de seconde, l'annonce d'un produit à vendre. Le téléspectateur n'a pas la sensation de voir cette image. En fait, il est cependant incité à acheter le produit vanté. Cette forme de publicité, véritable technique d'action psychologique, doit être bannie.

Le niveau sonore des émissions de publicité doit également être contrôlé. En dotant, en effet, ces programmes d'un niveau sonore plus élevé que les émissions ordinaires, on peut augmenter leur efficacité ; mais une telle technique finit, à longue échéance, par rendre intolérable la réception à de nombreux auditeurs et téléspectateurs.

Une réglementation étroite du *contenu* des émissions publicitaires doit également s'imposer. La protection des auditeurs exercée par le contrôle sur les programmes ordinaires est le plus souvent renforcée lorsqu'il s'agit d'émissions publicitaires. La recherche du profit pratiquée par les annonceurs doit être disciplinée dans l'intérêt général. D'où l'interdiction de la publicité pour certains produits (produits pharmaceutiques en général), l'interdiction de l'utilisation de formules qui pourraient induire en erreur le public auquel les émissions sont destinées. Dans de nombreux Etats, il est précisé que seule la publicité commerciale est autorisée et non la propagande pour un groupement politique, philosophique ou religieux (Grande-Bretagne, par exemple).

Dans la plupart des Etats qui pratiquent la publicité, les annonceurs n'ont pas directement recours à l'organisme de radiodiffusion ; ils traitent avec une *agence spécialisée* qui prépare la campagne publicitaire et conclut un accord avec l'entreprise de radio. Dans quelques Etats, une agence est concessionnaire exclusif de la publicité. Au Luxembourg, la régie commerciale exclusive est accordée à deux filiales de l'Agence Havas : Informations et Publicité et Informations et Publicité Belge. En Italie, elle est confiée à la Societa Italiana Publicita Radiofonica, dans laquelle la majorité absolue des actions doit appartenir à l'Instituto di Ricostruzione Industriale (art. 4, Convention R.A.I.-Etat). En Suisse, l'exploitation de la publicité télévisée est confiée à la Société Anonyme pour la Publicité à la Télévision : 40 % de son capital a été souscrit par la Société Suisse de Radiodiffusion, 40 % par les éditeurs de journaux, 8 % par l'Union Patronale de l'Industrie et du Commerce, 4 % par l'Association de la Presse Suisse (journalistes).

En France, la gestion de la publicité commerciale

est remise à une société anonyme contrôlée par des capitaux publics (O.R.T.F., 51 % ; SOFIRAD, 16 %). Son Conseil d'administration comprend trois représentants de l'Etat, trois représentants de l'O.R.T.F., un représentant de la SOFIRAD, un représentant de la Confédération Française de Publicité, un représentant de l'Union des Annonceurs, un représentant de l'Institut National de la Consommation, trois représentants de la presse écrite. Aucun code des normes exigées pour les émissions publicitaires n'a encore été élaboré, et il faut le regretter. On s'inspire jusqu'ici des règles établies en Grande-Bretagne. La Régie prend particulièrement en considération des impératifs économiques et commerciaux. Elle cherche à appuyer les industries qui vont dans le sens de la politique économique du gouvernement.

II. — Les droits à l'antenne

L'objectivité de l'organisme de radiodiffusion pose de nombreux problèmes. Elle ne suffit cependant pas à satisfaire l'impératif démocratique. Dans un régime libéral, tous les groupes représentatifs et, en premier lieu, le gouvernement doivent pouvoir s'exprimer à la radiodiffusion. Cette exigence est particulièrement forte lorsque l'organisme de radiodiffusion a reçu un monopole d'émission. Sans doute, les émissions de ces groupes seront, par la nature des choses, partiales. Mais il est bon que le gouvernement et les groupes politiques, philosophiques ou religieux aient ainsi l'occasion de faire entendre leurs opinions.

1. Le droit à l'antenne du gouvernement. — Le gouvernement (largement entendu) doit recevoir le droit de s'exprimer sur l'antenne. Il gère en effet les intérêts collectifs de la nation en vertu du mandat qui lui a été conféré. Il doit pouvoir utiliser l'antenne pour expliquer sa politique, pour adresser au pays des communications urgentes. On ajoutera que si le gouvernement ne reçoit pas un droit de s'exprimer officiellement sur les antennes, il tentera, par un moyen ou par un autre, d'influencer les émissions d'information de la radiodiffusion et, par là même, de porter atteinte à la règle d'objectivité. Il est donc préférable que le gouvernement puisse intervenir à visage découvert dans des émissions distinctes des programmes ordinaires.

Plusieurs Etats reconnaissent ainsi un droit à l'antenne au gouvernement (Allemagne fédérale ; Belgique, Royaume-Uni, Italie, Suisse...).

En France, le statut du 27 juin 1964 permet au gouvernement de faire diffuser ou téléviser par l'O.R.T.F. toute déclaration ou communication qu'il juge nécessaire. Ces émissions sont annoncées comme émanant du gouvernement. Aucune limite de temps n'est fixée aux interventions gouvernementales. Le Conseil d'administration a estimé que le caractère officiel d'une communication gouvernementale n'avait pas à être annoncé expressément dans le cas où le chef de l'Etat, le Premier ministre ou l'un des membres du gouvernement apparaissent sur l'écran ou parlent à la radio, aucune équivoque ne pouvant, dans ce cas, se produire.

Il s'agit, sans doute, d'une interprétation extensive des dispositions du statut. Une distinction s'impose. L'O.R.T.F. a la libre appréciation des informations à donner sur la politique gouvernementale pour répondre aux exigences d'une information objective ; dans ce cas, l'apparition d'un membre du gouvernement sur les antennes ne doit pas être précédée d'une communication. En revanche, les communications demandées par le gouvernement, qui ne sont pas commandées par les impératifs d'une information objective, doivent être précédées d'une communication précisant que la radiodiffusion ou la télévision a lieu à la demande expresse du gouvernement. La pratique actuelle présente l'inconvénient d'effectuer une confusion entre ces deux cas d'intervention gouvernementale, distincts dans leur fondement.

2. Le droit à l'antenne des groupements politiques, philosophiques ou religieux.

— Le droit à l'antenne des groupements politiques, philosophiques ou religieux permet d'assurer la diversité nécessaire à une société démocratique. Sa mise en œuvre exige cependant une option difficile entre un principe égalitaire abstrait, garantissant à tous les groupes des temps d'antenne égaux, et une différenciation prenant en considération la force réelle des mouvements qui revendiquent le droit à l'antenne.

A) *Les systèmes étrangers* se distinguent par leur caractère plus ou moins ouvert. Tandis que l'égalité absolue de tous les candidats est proclamée aux Etats-Unis, tous les autres pays choisissent l'égalité relative.

a) *L'égalité absolue.* — Aux Etats-Unis, le système choisi tient compte du caractère privé des organismes de radiodiffusion. S'il est difficile de les obliger à mettre leur antenne à la disposition des candidats aux fonctions publiques, on peut, néanmoins, les contraindre, au cas où ils permettent l'accès aux ondes à un candidat, à le faire dans les conditions d'égalité absolue avec tous les autres candidats. Le paragraphe 315 du Federal Communications Act stipule que, si un candidat à une fonction publique est admis à utiliser les antennes d'une station, un traitement équitable doit être accordé à tous les autres candidats aux mêmes fonctions. Cette disposition n'équivaut pas exactement à un droit d'antenne. Elle a simplement pour but d'éviter qu'une station ne réserve le bénéfice d'émissions électorales à un seul candidat ou à une seule tendance. L'égalité ainsi proclamée est générale, elle s'étend aux tarifs, aux moyens techniques mis à la disposition des candidats.

Le système permet l'accès à l'antenne de candidats qui n'ont pas été investis par les partis politiques existants. En fait, l'égalité ne peut pas être totale. Le candidat se voit sans doute ouvrir en pleine égalité avec les autres candidats l'accès aux ondes, mais il doit être en mesure de le payer. Or, le plus souvent, seuls des candidats soutenus par des organismes politiques puissants pourront assumer de tels frais.

b) *L'égalité relative bénéficiant à tous les groupements politiques importants.* — En Grande-Bretagne aucun texte ne reconnaît expressément le droit à l'antenne. Mais la tradition d'objectivité des organismes de radiodiffusion aboutit à le consacrer en fait. Un accord entre ces entreprises et les principaux groupements politiques est ainsi passé à la veille de chaque opération électorale. Le système pratiqué réserve l'essentiel du temps d'antenne aux partis politiques représentés au Parlement, mais laisse également une part aux autres organisations : quant aux groupements, il est ainsi ouvert et se rapproche de l'égalité absolue. Mais il opte, en revanche, pour l'égalité relative en ce qui concerne le temps attribué. Ainsi, lors des élections législatives de 1966, les ondes ont été ouvertes en tenant compte du pourcentage des votes obtenus lors de la précédente consultation : au parti travailliste (44,4 % des suffrages exprimés, une heure à la télévision, 55 minutes à la radio), au parti conservateur (43,4 %, une heure à la télévision, 55 minutes à la radio), au parti libéral (11,2 %, 35 minutes à la télévision, 30 minutes à la radio). L'accès à l'antenne fut également permis aux autres partis présentant un minimum de cinquante candidats. En l'espèce, un seul parti, le parti communiste, a pu bénéficier de cette disposition (5 minutes à la télévision, 5 minutes à la radio). En Ecosse et au Pays de Galles les partis nationalistes ont disposé de cinq minutes à la télévision et de cinq minutes à la radio.

c) *L'égalité relative limitée aux groupements représentés au Parlement.* — En Italie, en Allemagne fédérale et aux Pays-Bas le temps de parole est réparti entre les seules organisations politiques représentées au Parlement. Mais, alors que dans le dernier pays le même temps est attribué à tous les groupements disposant d'une représentation parlementaire, la durée d'émission est fonction, en Allemagne fédérale et en Italie, de l'importance de la représentation parlementaire.

En Allemagne fédérale, lors des élections de 1965, la répartition des temps d'émission a été effectuée pour la télévision par accord entre les partis représentés au Bundestag sur la base des effectifs parlementaires (C.S.U. : 45 minutes ; S.P.D. : 45 minutes ; C.S.U. : 10 minutes ; F.D.P. : 15 minutes).

En Italie, pour les élections de 1963, le temps mis à la disposition des divers partis fut fixé par la Commission parlementaire de surveillance de la R.A.I., d'une part, en assurant à chaque parti et au gouvernement un minimum de deux heures d'émission, d'autre part, en accordant aux principaux groupes un temps supplémentaire calculé proportionnellement à leur importance numérique. En vertu de ces critères, ont obtenu un temps d'antenne : le gouvernement (305 minutes), la démocratie chrétienne (257 minutes), le parti communiste (221 minutes), le parti socialiste (209 minutes), le parti libéral (197 minutes), le parti social-démocrate (197 minutes), le parti néo-fasciste M.S.I. (197 minutes), le parti monarchiste (197 minutes) et le parti républicain (197 minutes). Ce système a permis aux partis représentés au gouvernement de bénéficier d'un double temps d'antenne. On passe ainsi en fait de l'égalité relative à l'inégalité.

B) *Le système français*. — En France, le système traditionnel pratiqué pour les élections est l'ouverture des antennes, pour un temps rigoureusement égal, à toutes les organisations politiques qui présentent un certain nombre de candidats. C'est ainsi l'égalité absolue qui a, jusqu'ici, triomphé pour les élections législatives. Lorsqu'il s'est agi, en 1964, d'organiser la campagne *présidentielle*, le même principe l'a emporté :

« Pendant la durée de la campagne électorale, le principe d'égalité entre les candidats doit être respecté dans les programmes d'information de la Radiodiffusion-Télévision Française en ce qui concerne la reproduction ou les commentaires des déclarations et écrits des candidats et la présentation de leur personne. Chaque candidat dispose, sur les antennes de la Radio-Télévision Française, au premier tour de scrutin, de deux heures d'émission télévisée et de deux heures d'émission radiodiffusée... Chacun des deux candidats au second tour de scrutin dispose, dans les mêmes conditions, de deux heures d'émission radiodiffusée et de deux heures d'émission télévisée sur les antennes de la R.T.F. » (décret du 14 mars 1964).

La loi du 29 décembre 1966 relative aux élections *législatives*, tout en affirmant le droit à l'antenne en période électorale, a limité les groupements bénéficiaires de ce droit et a institué une proportion entre l'importance des partis et le temps qui leur est attribué.

Les partis et les groupements peuvent utiliser les antennes de l'Office de Radiodiffusion-Télévision Française pour leur campagne en vue des élections législatives. Le temps d'antenne mis à la disposition de ces partis et groupements paraît satisfaisant : trois heures pour le premier tour de scrutin, une heure trente pour le second, les émissions étant diffusées simultanément à la radio et à la télévision. Un temps plus long risquerait, comme l'attestent des expériences étrangères, de lasser auditeurs et téléspectateurs.

Personne n'a contesté le principe du droit d'antenne. En revanche, de nombreuses critiques se sont élevées contre la confiance accordée par les auteurs du texte au Conseil d'administration de l'O.R.T.F. Pour les élections présidentielles, un organe spécial, la commission de contrôle, avait été institué et il avait veillé, avec succès, au respect de la règle de l'égalité des candidats. Sans doute, à la lettre la création d'un tel organe ne s'impose pas. Il entre dans la mission même du Conseil d'administration de veiller au respect du droit d'antenne. En fait, deux garanties valent mieux qu'une et l'on peut regretter que la pratique de l'élection présidentielle n'ait pas été reprise.

Le temps d'antenne est désormais mis à la disposition des seuls partis et groupements représentés par des groupes parlementaires de l'Assemblée Nationale. Seule la représentation à l'Assemblée Nationale est envisagée. L'exigence de la représentation par un groupe parlementaire réserve aux groupements et partis disposant de plus de trente députés l'utilisation du temps d'antenne.

Il est apparu toutefois opportun de nuancer le caractère brutal de ces règles en faveur des partis ou groupements qui n'obtiendraient pas de droit d'antenne parce qu'ils « ont perdu de leur audience ou n'en ont pas encore acquis ». Aussi tout parti ou groupement présentant, au premier tour de scrutin, soixante-quinze candidats au moins a accès aux antennes de l'O.R.T.F. pour une durée de sept minutes au premier tour et de cinq minutes au second dès lors qu'aucun de ses candidats n'appartient à l'un des groupements ou partis bénéficiant du temps d'émission accordé à titre principal. Cette disposition peut permettre à de nouveaux partis politiques de s'exprimer. Elle laisse une certaine ouverture au système, encore que le temps accordé soit très réduit.

La répartition du temps d'antenne mis à la disposition des partis et groupements représentés par des groupes parlementaires à l'Assemblée Nationale a suscité plus de controverses. On aurait pu envisager un partage en fonction du pourcentage des voix obtenues aux dernières élections ou en proportion du nombre de sièges obtenus, le premier système ayant sur le second l'avantage de ne pas accentuer les déformations que produit tout système électoral autre que la représentation proportionnelle. On a préféré une division de la durée d'émission « en deux séries égales, l'une étant affectée aux groupes qui appartiennent à la majorité, l'autre à ceux qui ne lui appartiennent pas ». Le temps attribué à chaque groupement ou parti est déterminé par accord amiable, la répartition est fixée par le bureau de l'Assemblée Nationale en tenant compte notamment de l'importance respective de ces groupes ; pour cette délibération, le bureau est complété par les présidents de groupe. Cette règle a été contestée.

Elle a abouti, en effet, en 1967 à attribuer à la majorité, qui a disposé de 36,26 % des voix aux dernières élections, le même temps d'antenne qu'aux divers groupes d'opposition qui ont obtenu 63,7 % des voix. Même en Grande-Bretagne, où la distinction entre majorité et opposition existe nettement, on a vu que la répartition prenait en considération le pourcentage des voix obtenu lors de la précédente consultation.

Beaucoup plus critiquable est le fait qu'*en période
ordinaire* le droit à l'antenne des partis politiques
ne soit pas rigoureusement organisé. Le statut de
l'O.R.T.F. se contente de prévoir que le Conseil
d'administration vérifie que les principales tendances de pensée et les grands courants d'opinion
peuvent s'exprimer par l'intermédiaire de l'Office.
Cette disposition reconnaît un droit à l'antenne
mais son application dépend du Conseil d'administration. Rien ne remplace pourtant, dans un domaine aussi délicat, la règle objective établie avant
que n'aient surgi des controverses politiques. C'est
pourquoi à de nombreuses reprises des propositions
de loi organisant le droit à l'antenne ont été présentées. Aucune d'entre elles n'a jusqu'ici abouti.

III. — Droits d'auteur et droits voisins

Le statut des programmes de radiodiffusion doit
établir, pour ce qui concerne les droits d'auteur,
un juste équilibre entre le respect des exigences de
la mission de service public remplie par l'entreprise
de radiodiffusion et celui des droits privés légitimes.
Une conception trop rigide des droits d'auteur ne
doit pas paralyser la diffusion des programmes
d'intérêt général mais ceux-ci ne doivent pas mé-
connaître les droits fondamentaux des auteurs. Dans
de nombreuses législations modernes, des dispositions particulières s'inspirent, pour limiter ces derniers droits, de la fonction d'information ou d'éducation assumée par l'entreprise.

En France, les problèmes des droits d'auteur en
radiodiffusion ont été, pendant longtemps, résolus
sur la base des lois révolutionnaires qui constituaient
la charte du droit d'auteur : la loi des 13-19 janvier 1791 (art. 3) relative au droit de représentation,

la loi des 19-24 juillet 1793 (art. 1er) consacrée au droit de reproduction. C'est à partir de ces textes que la jurisprudence a abordé les premiers litiges suscités par l'activité des organismes de radiodiffusion. Aujourd'hui, la réglementation se trouve dans la loi du 11 mars 1957 dont quelques dispositions sont spécialement consacrées à la radiodiffusion. Une autre source de réglementation est constituée par les conventions internationales. La Convention de Berne, révisée à Rome en 1928, à Bruxelles en 1948, à Stockholm en 1967, contient des dispositions expressément applicables à la radiodiffusion.

Parallèlement à ces dispositions générales, relatives au droit d'auteur, des règles particulières ont été édictées pour protéger les droits qui se situent dans l'orbite du droit d'auteur — dits *droits voisins* — et particulièrement ceux *de l'organisme de radiodiffusion*. Une protection nationale souvent incomplète tend à être remplacée par une législation internationale dont les Conventions de Rome (1961) et l'arrangement européen (1960) sont les premières manifestations.

L'organisme de radiodiffusion est ainsi à la fois soumis au droit d'auteur et bénéficiaire de certaines règles relatives au droit d'auteur.

1. **L'organisme de la radiodiffusion soumis au droit d'auteur.** — A) *Applicabilité des règles relatives au droit d'auteur.* — Dans la mesure où elle utilise des services protégés par le droit d'auteur, la station de radiodiffusion doit obtenir, *préalablement,* l'autorisation de l'auteur, qui, en fait, ne sera octroyée que moyennant le paiement d'une redevance. L'émission réalise en effet une communication publique des œuvres à un public anonyme. C'est

pourquoi la soumission de la radiodiffusion au droit d'auteur a été prévue dans la Convention de Berne (révision de Rome, 1928) et de Bruxelles (1948).

En France, aux termes de la loi du 11 mars 1957, le droit d'exploitation de l'auteur comprend le droit de représentation. Celle-ci est définie comme la communication directe de l'œuvre au public, notamment par voie de diffusion, par quelque procédé que ce soit, des paroles, des sons ou des images. La radiodiffusion reste, sans contestation possible, dans le champ d'application de ces dispositions. Toute communication d'une œuvre par la radiodiffusion exige l'autorisation préalable de l'auteur.

Le droit d'auteur ne doit cependant pas paralyser l'exercice d'une fonction d'information, de critique ou de pédagogie. Aussi, l'article 4 de la loi du 11 mars 1957 apporte-t-il des *exceptions* au principe du respect des droits d'auteur. Il permet que des œuvres soient radiodiffusées, totalement ou partiellement, sous réserve que soient indiqués clairement le nom de l'auteur et la source.

Cette disposition autorise :
— la diffusion même intégrale *à titre d'information d'actualité* des discours destinés au public prononcés dans les assemblées politiques, administratives, judiciaires ou académiques ainsi que dans les réunions d'ordre politique et les cérémonies officielles ;
— les analyses et courtes citations justifiées par le caractère critique, polémique, pédagogique, scientifique ou d'information de l'œuvre à laquelle elles sont incorporées. Ces analyses ou citations peuvent concerner des œuvres littéraires, artistiques ou musicales. Ce droit de citation ne permet évidemment pas la reproduction intégrale ;
— les revues de presse : celles-ci se distinguent des citations car elles ne sont pas incorporées à une œuvre ; elles constituent un ensemble de citations ;
— les parodies, pastiches, caricatures, compte tenu des lois du genre.

De nombreux Etats autorisent des *dérogations plus importantes* au droit d'auteur : ils permettent la radiodiffusion de toute œuvre déjà publiée. Il en va ainsi dans la plupart des démocraties populaires et en Finlande.

B) *Activités de la radiodiffusion soumises au droit d'auteur.* En dehors de l'exécution privée en studio, la radiodiffusion peut donner lieu à de nombreuses activités particulières offrant prise au droit d'auteur

a) *Communications greffées sur l'émission initiale.* — L'émission initiale peut être la source de communications distinctes qui posent chacune des problèmes de droit d'auteur. On peut rencontrer, tout d'abord, des émissions *simultanées*. Dans cette hypothèse, il y a radiodiffusion de mêmes émissions par une série d'émetteurs émettant en même temps sur des longueurs d'onde différentes ou avec des types de modulations distincts. Ces émissions simultanées ont pour but d'améliorer les conditions de la réception. Il peut y avoir, d'autre part, des *relais* qui permettent, après l'avoir captée, d'amplifier l'émission initiale pour en accroître la diffusion géographique. Ces relais peuvent être nationaux ou internationaux. Il peut également s'agir de *radiodistribution*. Dans cette hypothèse, l'émission radiophonique est transformée en impulsions électriques et transmise par fil aux usagers. Cette technique permet une réception exempte de parasites.

Chacune de ces communications devrait donner lieu à la perception d'une redevance spéciale. La loi du 11 mars 1957 a cependant prévu une solution favorable aux organismes de radiodiffusion. En principe, l'autorisation de radiodiffuser l'œuvre couvre l'ensemble des communications faites par l'organisme bénéficiaire de la cession. Le principe est donc celui de la redevance unique. La loi réserve le cas des stipulations contraires et, en pratique, le problème est réglé par le contrat passé entre l'organisme de radiodiffusion et l'auteur.

b) *Radiodiffusion d'une exécution publique.* — Dans l'hypothèse où l'organisme de radiodiffusion entend procéder à l'émission d'une exécution publique, il doit obtenir l'autorisation des auteurs dans les mêmes conditions que s'il s'agissait d'une exécution privée. Si c'est l'organisme de radiodiffusion qui organise lui-même l'exécution publique, il doit obtenir une double autorisation, couvrant à la fois l'exécution publique et la radiodiffusion. Il s'agit, en effet, de deux communications différentes s'adressant à des publics distincts. L'exécution publique s'adresse aux personnes rassemblées dans une salle, la radiodiffusion concerne les personnes à l'écoute de leur poste récepteur.

c) *Réception publique des émissions.* — Le fait pour un commerçant d'organiser la réception publique des émissions de radio et de télévision (dans un débit de boissons ou dans un cinéma) offre prise au droit d'auteur. Cette réception publique a la particularité de permettre à un nouveau public de percevoir l'émission. Elle réalise, par elle-même, un élargissement du cercle des personnes auxquelles les émissions sont destinées. Elle constitue, par conséquent, une communication nouvelle par rapport à l'émission originale, de la même manière que la radiodiffusion par rapport à l'exécution publique.

En France, la loi du 11 mars 1957, conformément à la Convention de Berne, donne aux auteurs le droit d'autoriser la communication directe de l'œuvre au public par la voie de retransmission de l'œuvre radiodiffusée par le moyen d'un haut parleur et éventuellement d'un écran de radiotélévision placé dans un lieu public.

L'auteur ne peut interdire les représentations qui sont, d'une part, privées effectuées dans le cercle de famille et, d'autre part, gratuites. Tout paiement direct ou indirect qui accompagne la réception privée effectuée dans le cercle de famille transforme la nature de ladite réception et la rend justifiable des droits d'auteur.

d) *Droit d'adaptation*. — L'utilisation d'une œuvre par la radiodiffusion implique, en général, une certaine transformation, dans le but de l'adapter à cette nouvelle communication. L'organisme de radiodiffusion doit alors se faire céder le droit d'adaptation. Les modalités de celle-ci sont précisées dans le contrat passé à cette occasion et, en cas de conflit, les tribunaux apprécieront. En général, les contrats donnent à l'organisme de radiodiffusion le droit d'apporter les modifications exigées par les besoins de la radiodiffusion, à la condition de ne pas altérer l'esprit et le caractère de l'œuvre.

e) *Enregistrements*. — L'autorisation de communiquer l'œuvre au public ne comporte pas le droit de l'enregistrer. Aussi, les organismes de radiodiffusion, s'ils veulent enregistrer l'œuvre en vue d'une communication ultérieure au public, doivent obtenir une double autorisation : l'autorisation d'enregistrer qui relève du droit de reproduction et l'autorisation d'émission qui relève du droit de communication.

Un régime de faveur peut cependant être prévu pour les enregistrements éphémères qui doivent être détruits ou neutralisés après l'émission. Ce type d'enregistrement est particulièrement nécessaire aux stations de radiodiffusion auxquelles il permet de surmonter certains obstacles matériels. Les exécutants peuvent ne pas être disponibles au moment où l'émission doit être diffusée. Les horaires peuvent ne pas être les mêmes dans l'aire géographique d'un organisme de radiodiffusion. L'enregistrement préalable permet également certaines corrections, certains artifices techniques que l'émission en direct n'autorise pas. L'enregistrement éphémère n'est pas d'un grand danger pour les auteurs. Il ne représente pas, en vérité, un type d'exploitation nouveau de leur œuvre. Il est réalisé pour une seule communication qui, sans cela, n'aurait peut-être pas eu lieu.

C'est pourquoi la Convention de Berne, suivie par de nombreuses législations, prévoit que l'autorisation de radiodiffuser n'implique pas l'autorisation d'enregistrer mais elle réserve aux législations nationales le régime des enregistrements *éphémères* effectués par un organisme de radiodiffusion.

En France, aucune distinction n'est faite dans le droit positif entre les enregistrements éphémères et les enregistrements durables, tous deux sont soumis au droit de reproduction de l'auteur et exigent son consentement. Néanmoins, une disposition, inappliquée jusqu'ici, peut mettre en cause les droits de l'auteur. L'article 45 § 3 de la loi prévoit que :

« Toutefois, exceptionnellement, en raison de l'intérêt national qu'ils représentent ou de leur caractère de documentation, certains enregistrements pourront être autorisés. Leurs modalités de réalisation ou d'utilisation seront fixées par les parties, ou, à défaut d'accord, par décision signée conjointement par le ministre chargé des Beaux-Arts et le ministre chargé de l'Information. Les enregistrements pourront être conservés dans les archives officielles. »

f) *Utilisation par les organismes de radiodiffusion des disques du commerce.* — L'utilisation des disques du commerce permet aux organismes de radiodiffusion d'éviter les dépenses entraînées par les réalisations de phonogrammes ou les exécutions en studio effectuées par ces entreprises elles-mêmes. Cette utilisation permet sans doute une plus grande diffusion des œuvres. Elle n'en doit pas moins être pour les auteurs la source d'un droit particulier.

L'auteur, lorsqu'il autorise la confection et la vente d'un disque, ne permet pas n'importe quelle utilisation de celui-ci. Le disque est destiné à l'utilisation privée et à celle-là seulement. Le droit de reproduction n'a été concédé qu'en vue de cette utilisation. La reproduction qui résulte de la diffusion par un organisme de radiodiffusion est soumise à autorisation de l'auteur ou de la société chargée d'exercer les droits de reproduction mécanique.

Cette *spécificité* de la publication permet seule de faire respecter les intérêts de l'auteur. Ses intérêts d'ordre moral, tout d'abord, parce que l'auteur peut craindre l'utilisation défectueuse de son disque ou son emploi à des fins qu'il réprouve (commerciales par exemple). Ses intérêts matériels, d'autre part, car il doit tirer parti d'une exploitation nouvelle des disques qui risque, au surplus, de porter atteinte aux exploitations traditionnelles. La spécificité de l'autorisation résulte expressément des termes de l'article 31 de la loi du 11 mars 1957, selon lequel « la transmission des droits de l'auteur est subordonnée à la condition que chacun des droits cédés fasse l'objet d'une mention distincte dans l'acte de cession et que le domaine d'exploitation des droits cédés soit délimité quant à son étendue et à sa destination, quant au lieu et quant à la durée ».

Cette théorie a eu une profonde influence sur la pratique. Les compositeurs de musique ou leurs ayants droit ont confié au Bureau International d'Editions Musico-Mécaniques le soin de gérer leurs droits de reproduction à l'occasion des enregistrements phonographiques.

Le B.I.E.M. a inséré dans les contrats qu'il conclut avec les firmes une clause en vertu de laquelle, en l'absence d'autorisation spéciale, les disques ne peuvent servir ni à une exécution publique, ni à la radiodiffusion. Ils ne peuvent être affectés qu'à un usage privé. Une mention figurant sur l'étiquette des disques rappelle ces prescriptions aux acheteurs.

g) *L'utilisation des films du commerce.* — L'utilisation des films du commerce par les organismes de radiodiffusion comme celle des disques met en jeu le droit de reproduction : le film se trouve diffusé à un public autre que celui pour lequel il a été conçu. La comparaison entre les deux espèces s'arrête pourtant là. Les disques ne sont qu'un instrument technique permettant la perception d'une œuvre. Les films sont considérés, eux, comme une œuvre. Le problème en matière de disques résulte de leur vente libre dans le commerce qui permet aux organismes de radiodiffusion de se procurer l'objet matériel autorisant la reproduction. En revanche, en matière de films, cet objet — en l'espèce la pellicule — reste dans la main du producteur ou de ses mandataires, qui exigeront que tous leurs droits soient sauvegardés avant de le céder à l'organisme de radiodiffusion. Enfin, les conditions économiques sont différentes. L'utilisateur auquel le disque est normalement destiné ne subit aucun préjudice si un disque est utilisé par l'organisme de radiodiffusion. En revanche, l'utilisateur normal du film, l'exploitant de salle, subit un préjudice grave du fait de l'utilisation par la radiodiffusion des films du commerce. Il en résulte pour lui une perte de clientèle certaine.

Les *exploitants de salle* attribuent à la télévision la baisse de fréquentation qu'ils constatent. Aussi ont-ils cherché à se prémunir contre la concurrence la plus directe menée à leur égard par la télévision : celle qui résulte de la projection des films du commerce sur les écrans de télévision. Ils ont tenté à cet égard d'agir d'une part directement contre l'organisme de radiodiffusion lui-même, d'autre part contre le commerçant qui a organisé la réception publique du film télévisé. Ces actions ont échoué.

En effet, l'état de concurrence entre la télévision et les exploitants de salle résulte de l'apparition d'une technique nouvelle établie et implantée dans des conditions légales. Les différences des régimes réglementaires et fiscaux entre les organismes de radiodiffusion ou les hôteliers et les exploitants de salle résultent de la volonté du législateur et, seul, ce dernier peut, s'il le désire, accorder à l'industrie cinématographique des facilités juridiques et fiscales lui permettant de s'adapter à la concurrence de la télévision. Les tribunaux ne peuvent intervenir pour redresser les termes d'une concurrence économique résultant de données légales. Plus délicats sont les arguments tirés du droit communautaire. Les organismes spécialisés du Marché Commun étudient, à l'heure actuelle, les problèmes entraînés par les disparités de la réglementation des entreprises de radiodiffusion en Europe (1).

L'utilisation par l'organisme de télévision des films du commerce suppose l'acquisition valable du *droit de télévision*. En l'état actuel du droit positif français, le titulaire du droit de télévision dispose du droit *exclusif* d'autoriser la télévision du film et aucune licence légale n'a été instituée.

Les titulaires du droit de télévision peuvent refuser de mettre des films à la disposition des chaînes de télévision. En pratique, étant donné l'importante consommation de films par les organismes de radiodiffusion, une telle réaction est exceptionnelle.

2. **L'organisme de radiodiffusion protégé par le droit d'auteur (et les droits voisins).** — A) *Le droit d'auteur proprement dit.* — L'activité de la radiodiffusion aboutit à la création d'œuvres radiophoniques ou télévisuelles protégées par le droit

(1) V. Rapport Kreysig au Parlement européen, Document de séance n° 83 du 30 août 1965.

d'auteur. Toutes les émissions paraissent relever de cette création, même les actualités ou les documentaires ne font pas exception à la règle.

Elles ne consistent pas en une simple transcription d'une réalité préexistante ; il faut, au reporter, beaucoup de sagacité pour rencontrer les personnes qui lui livreront des informations, pour se trouver au bon moment dans le lieu où un événement se déroule, pour poser des questions qui provoquent des réponses originales. Il y a là une activité créatrice qui donne naissance inéluctablement à des œuvres.

En France, l'organisme de radiodiffusion ne peut cependant être directement considéré comme un auteur. L'article 18 de la loi du 11 mars 1957 réserve aux personnes physiques la qualité d'auteur d'une œuvre radiophonique ou télévisuelle. Il exclut ainsi la possibilité pour les organismes de radiodiffusion d'être considérés comme auteurs. L'O.R.T.F., organisme doté de la personne morale, ne peut détenir les droits d'auteurs que de *manière dérivée*, jamais de façon originaire.

L'article 8 du décret du 22 juillet 1964 portant statut des personnels de l'O.R.T.F., aux termes duquel, en vue de remplir la mission qui lui est confiée, « l'Office peut utiliser librement, en tout ou en partie, les services accomplis par les agents dans le cadre de leurs fonctions ». L'article 9 du statut des journalistes stipule que les journalistes permanents de l'Office de Radiodiffusion-Télévision Française cèdent en totalité et en exclusivité les droits nécessaires à l'utilisation de leurs prestations. Sont notamment acquis à l'Office, le droit de diffusion, le droit de reproduction et le droit d'exploitation des émissions produites par l'O.R.T.F. avec la participation des journalistes permanents et des journalistes recrutés par des contrats de durée déterminée. L'Office a la faculté de céder à des tiers le droit d'exploitation. Dans le cas où cette cession est faite à titre onéreux, les journalistes perçoivent une rémunération supplémentaire.

B) *Les droits voisins.* — L'organisme de radiodiffusion doit être protégé contre les activités de tiers tendant à s'approprier le capital constitué par les émissions, soit par voie de réémission, soit par enregistrement, soit encore par représentation publique. Le droit commun n'offre en ce domaine, dans la plupart des droits nationaux, qu'une protection insuffisante, aussi les entreprises de radiodiffusion ont-elles tendu à se faire reconnaître une protection spécifique.

Une émission est le résultat d'une série de créations accomplies par des techniciens spécialisés, des acteurs, des producteurs originaux, l'activité de tous ces préposés de l'organisme doit, cependant, être distinguée de celle de l'organisme, personne morale. L'activité propre de l'entreprise de radiodiffusion consiste dans la transmission par l'image et par le son des émissions. Cette « abolition des distances » (Desbois) ne peut être considérée comme une création.

On doit, cependant, admettre que l'entreprise constitue cependant un *auxiliaire* précieux pour les créateurs. Que l'activité technique qu'elle déploie n'est sans doute pas génératrice d'un droit d'auteur, mais qu'elle en est fort proche. Aussi l'on a proposé, avec bonheur, de qualifier le droit de l'organisme de radiodiffusion sur ses émissions de droit *voisin* du droit d'auteur. Les Conventions de Rome (26 octobre 1961) et l'Arrangement européen pour la protection des émissions de télévision (22 juin 1960) ont organisé la protection de l'entreprise de radio-télévision.

En France, en vertu de l'article 4 de l'ordonnance du 4 février 1959 :

« Sont interdits, sauf autorisation accordée sous réserve du monopole de l'administration des P.T.T. par le directeur général de l'O.R.T.F., la retransmission par fil ou sans fil, l'enregistrement ou la reproduction de quelque nature qu'elle soit, de tout ou partie d'une émission de radiodiffusion, en vue d'une émission dans le public à titre onéreux ou gratuit, sous réserve de limitations identiques à celles résultant de la loi du 11 mars 1957 sur la propriété littéraire et artistique. »

Cette disposition consacre, au bénéfice de l'O.R.T.F., un droit voisin du droit d'auteur. Elle assure une protection supérieure à celle qui résulterait de la reconnaissance, à son profit, d'un droit d'auteur. En effet, l'article 4 permet de protéger *toutes* les émissions, même celles qui ne comportent aucune création, même celles où les moyens techniques sont utilisés sans aucune originalité. Il en irait tout autrement si l'on fondait le droit de l'Office sur le droit d'auteur.

a) *Protection de l'organisme de radiodiffusion contre la réémission des programmes.* — L'organisme de radiodiffusion doit être protégé contre les émissions effectuées par des tiers à partir de l'émission originale, soit par fil, soit sans fil.

La protection de l'O.R.T.F. contre la réémission de ses programmes est garantie en France par le monopole d'émission dont dispose l'Office. Celui-ci a seul qualité pour radiodiffuser des programmes quels qu'ils soient. Au surplus, l'ordonnance du 4 février 1959 est venue consacrer, à son bénéfice, un droit voisin qui le protège suffisamment contre la réémission.

La retransmission par fil ou sans fil de tout ou partie d'émission, en vue d'une diffusion dans le public à titre onéreux ou gratuit, est interdite sous réserve de limitations identiques à celles résultant de la loi du 11 mars 1957 sur la propriété littéraire et artistique. Des autorisations de réémission peuvent être accordées, sous réserve du monopole de l'administration des P. et T. par le directeur général de l'O.R.T.F.

Le tribunal de grande instance de Bastia a, dans un jugement du 29 avril 1966 (1), condamné à un franc de dommages-

(1) *J.C.P.*, 1966, II, note DEBBASCH.

intérêts envers l'O.R.T.F. des radioélectriciens qui avaient
installé des relais de réémission sur les territoires de plusieurs
communes corses au motif que « les agissements des prévenus
contrarient le droit protégé de l'O.R.T.F. comparable à celui
que la loi du 11 mars 1957 confère à la propriété littéraire et
artistique ».

b) *Protection de l'organisme de radiodiffusion
contre la fixation des programmes.* — L'organisme
de radiodiffusion réalise ses émissions à grand
coût. Les services qu'il utilise pour récolter ses
informations ou pour réaliser des émissions drama-
tiques ou de variétés lui reviennent très cher. Or,
il peut être tentant pour des tiers d'utiliser ce
capital d'émissions à peu de frais en procédant à
l'enregistrement sonore ou visuel de tout ou partie
des programmes de l'Office dans le but d'une utilisation ultérieure.

Le besoin d'une protection en ce domaine se fait éminem-
ment sentir. L'organisme doit se voir reconnaître l'exclusivité
de capital qui résulte des émissions, il faut éviter le *vol* de
ce capital par le moyen de fixations abusives. D'autre part,
il faut éviter que les artistes ou fournisseurs d'information ne
veuillent plus fournir leurs services ou exigent une rémunération à un taux plus élevé parce que l'organisme ne peut les
garantir contre des utilisations ultérieures des prestations
fournies.

L'article 4 de l'ordonnance du 4 février 1959
(expressément maintenu en vigueur par l'article 1er de la loi du 27 juin 1964) s'est efforcé de
mettre en place un système de protection de la
R.T.F. contre tous les enregistrements de ses
émissions. Désormais, l'autorisation du directeur
général de la R.T.F. est exigée pour l'enregistrement ou la reproduction, de quelque nature qu'elle
soit, de tout ou partie d'une émission de radiodiffusion en vue d'une diffusion dans le public à
titre onéreux ou gratuit.

Le droit d'autoriser la fixation subit, en vertu du texte de 1959, des limitations identiques à celles résultant de la loi 57-298 du 11 mars 1957 sur la propriété littéraire et artistique.

c) *Protection de l'organisme de radiodiffusion contre la représentation publique des émissions.* — Plusieurs types de réception publique se présentent contre lesquels, à des degrés divers, il est nécessaire d'organiser la protection de l'organisme de radiodiffusion. La première hypothèse possible est celle de la réception des émissions par un hôtelier ou un cafetier pour sa clientèle. La deuxième hypothèse est celle de l'exploitant de salles de cinéma qui retransmettrait sur grand écran certaines émissions de télévision et particulièrement celles d'actualité.

Dans tous ces cas, un particulier tire un bénéfice du fait d'une activité de l'organisme. L'entreprise de radiodiffusion est lésée à plusieurs points de vue, parce que cette réception publique est de nature à freiner la demande de postes privés et, par conséquent, à limiter les redevances perçues sur les usagers, parce que cette extension du public auquel les émissions sont adressées peut mettre l'Office en difficulté avec ses contractants. Telle société sportive hésitera à autoriser la retransmission d'un match par la télévision si elle sait qu'au même moment l'émission sera reprise dans un cinéma sur grand écran.

L'O.R.T.F. dispose, pour tirer parti de telles réceptions publiques ou pour les contrôler, des textes relatifs à la redevance. Ceux-ci (décret 29 décembre 1960, art. 2 et 3, *B.L.D.*, 1961, p. 34 ; décret 12 août 1966 ; décret 25 juin 1953, *D.*, 1953.I.234) permettent d'associer l'Office aux profits résultant de la réception publique. Bien qu'ils figurent dans la législation relative à la redevance, on doit les considérer comme l'expression du droit voisin de l'O.R.T.F.

Récepteurs installés dans les débits de boisson à consommer sur place de 2e, 3e, 4e catégorie (art. L. 22, Code débits de boissons) : ces récepteurs sont placés dans la deuxième catégorie de redevance. Ils doivent acquitter une redevance majorée au taux de base de 60 F pour les récepteurs de radiodiffusion et de 400 F pour les récepteurs de télévision.

Récepteurs installés dans une salle d'audition ou de spectacle dont l'entrée est payante (3e catégorie) : l'installation et l'utilisation de tels récepteurs sont subordonnées à une autorisation « préalable » délivrée par le directeur général de la Radiodiffusion-Télévision Française.

Cette autorisation a un contenu limité :

— d'une part, elle n'est valable que pour l'installation réceptrice et l'écran pour lesquels elle a été demandée ; la demande d'autorisation doit décrire les caractéristiques techniques de l'installation projetée et préciser les modalités de son utilisation ;

— d'autre part, elle est attribuée« personnellement» au détenteur de l'installation réceptrice et ne peut être cédée ;

— enfin, elle ne donne aucun droit à la retransmission ou à la reproduction, même partielle, des émissions captées par les installations réceptrices autorisées.

De telles autorisations ont été accordées pour les Jeux Olympiques de Rome et de Grenoble.

IV. — La responsabilité de l'entreprise de radiodiffusion

Par le rayonnement de ses émissions, l'organisme de radiodiffusion peut léser des intérêts publics ou privés. Aussi, est-il souhaitable que les conditions de mise en jeu de sa responsabilité soient strictement précisées par le législateur. Il s'agit, comme en matière de presse, d'effectuer un compromis délicat entre les exigences de l'information et de la liberté d'opinion et celles de la protection des intérêts publics et privés. La législation reste cependant imprécise. On a trop souvent pensé que le statut public de l'entreprise de radio et de télévision suffisait à prévenir la commission de crimes, de délits ou de fautes par la voie des ondes. Il faut éviter de se reposer sur cette prévention. Il est nécessaire, si elle s'est révélée insuffisante, que les particuliers ou la société disposent d'armes répressives efficaces.

1. **La responsabilité pénale.** — En France, le statut de l'organisme de radiodiffusion a concentré l'attention et on ne s'est pas préoccupé de la responsabilité pénale pouvant résulter des programmes. Aucune législation spéciale relative à la radiodiffusion n'a été votée. On a peu réfléchi à l'application de la législation pénale générale à la radiodiffusion. Rien n'est plus dangereux pourtant que de laisser croire à l'organisme de radiodiffusion qu'il bénéficie d'une immunité totale. Même si la plus grande partie de la législation pénale ne paraît pas avoir l'occasion de s'appliquer en raison du statut public de cet organisme, il n'en faut pas moins proclamer, en principe, son applicabilité.

A) *Dispositions pénales applicables à la radio et à la télévision.* — De nombreuses dispositions pénales générales apparaissent applicables à la radiodiffusion (ainsi l'article 226 du Code pénal relatif à l'atteinte à l'autorité de justice, l'article 419 concernant les fausses nouvelles...). Une disposition spéciale interdit la radiodiffusion ou la télévision des débats judiciaires.

Certaines des dispositions de la *loi du 29 juillet 1881* relative à la liberté de la presse s'appliquent à tous les moyens d'expression et par conséquent à la radio et à la télévision (ainsi les textes réprimant la diffamation et l'injure : Tr. corr. Bourges, 19 juillet 1934, *D.P.*, 1934.II.121, ou ceux concernant la provocation aux crimes et délits).

Cependant la loi de 1881 s'est efforcée de déterminer une hiérarchie des personnes responsables des crimes et des délits (directeurs de publications, auteurs, imprimeurs, vendeurs, distributeurs, afficheurs). Cette énumération figure dans l'article 42, chapitre V, § 1er de ladite loi. Ce paragraphe 1er s'intitule « Des personnes responsables des crimes et délits commis par la voie de la presse». L'article 42 parle également de « la répression des crimes et délits commis par la voie de la presse ». Il en résulte, en vertu du principe de l'interprétation restrictive des textes de droit pénal, que, sur ce point, la loi de 1881 n'est pas applicable à la radiodiffusion. C'est, par conséquent, le droit commun qui sera applicable. La personne responsable des propos tenus à la radiodiffusion sera celle qui aura proféré les paroles incriminées. Cela n'exclut pas que d'autres personnes puissent éventuellement être poursuivies comme complices (art. 60 C. pén.). On regrettera que, sur un point aussi important, le législateur contemporain n'ait pas adapté les dispositions prévues pour l'entreprise de presse, afin qu'une échelle des responsabilités soit fixée dans l'organisme de radiodiffusion et que les personnes lésées par une émission anonyme trouvent un responsable.

B) *Droit de réponse.* — Dans les mêmes conditions que la presse, l'organisme de radiodiffusion peut être amené à mettre en cause des personnes auxquelles il serait souhaitable d'accorder un droit de réponse sur le même type que celui institué pour les périodiques écrits.

On a cependant présenté de nombreuses objections à l'encontre de la reconnaissance d'un tel droit.

On a fait valoir en effet que la radio et la télévision sont organisées, dans la plupart des Etats, selon un régime de service public impliquant un strict contrôle de la finalité des programmes, les émissions de radiodiffusion peuvent donc éviter les errements de la presse et il n'est pas nécessaire de protéger les tiers par l'octroi de réponse. On a également mentionné que la lecture d'un journal retient davantage le lecteur et suscite dans son esprit une impression plus vive et

plus durable que la nouvelle radiodiffusée ; la rectification
risque alors de rappeler aux auditeurs ou téléspectateurs des
faits auxquels ils n'avaient prêté, au premier abord, aucune
attention. On ajoute des obstacles tenant à la nature de
l'émission de radiodiffusion. Alors que la preuve de l'écrit
est immédiate et permanente, les paroles des émissions diffusées en direct s'envolent, selon l'adage commun. L'exercice
effectif du droit de réponse se heurte donc à un obstacle de
preuve. Enfin, on fait remarquer que la réponse écrite et
personnelle convient à la presse. Il est difficile, en revanche,
d'organiser une réponse personnelle à la radiodiffusion ou à
la télévision. Cette argumentation est présentée, essentiellement, par les organismes de radiodiffusion. Ceux-ci ont
pris l'habitude d'un régime plus favorable que celui de la
presse. Ils craignent, d'autre part, connaissant l'ampleur des
réactions suscitées par les émissions, que leur activité ne soit
paralysée par l'existence d'un droit de réponse dont de trop
nombreux auditeurs voudraient pouvoir user.

Mais, s'il semble nécessaire de réglementer strictement le droit de réponse, pour éviter de tels
abus, aucun des arguments présentés n'apparaît
convaincant.

Le régime de service public de la radiodiffusion
n'exclut pas que certains des collaborateurs de
l'organisme de radiodiffusion se livrent dans une
émission déterminée à des mises en cause injus-
tifiées de tiers. Sans doute, le risque est-il moins
important qu'en matière de presse. Il n'en existe
pas moins. Il est inexact, d'autre part, de prétendre
que les émissions de radio et de télévision possèdent
une portée moins forte que le public que les écrits.
Les obstacles tenant à l'aménagement pratique du
droit de réponse ne sont pas, non plus, insurmontables. On peut exiger de l'organisme de radiodiffusion la fixation sur bande magnétique des
émissions et leur conservation pendant un délai
déterminé. On peut également décider que la réponse
faite par écrit sera lue par un speaker. Cependant,
jusqu'ici, dans de nombreux Etats, ces obstacles

ont servi de prétexte pour retarder l'élaboration d'une législation relative au droit de réponse.

En France le droit de réponse n'existe pas. La loi du 29 juillet 1881 (art. 13) organise le droit de réponse à l'égard des seules publications écrites. Le texte prévoit que le directeur de la publication est tenu d'insérer dans les trois jours de leur réception les réponses de toute personne nommée ou désignée dans le journal ou écrit périodique quotidien sous peine d'amende, sans préjudice des autres peines et dommages-intérêts. En ce qui concerne les journaux ou écrits périodiques non quotidiens, le directeur de la publication, sous les mêmes sanctions, est tenu d'insérer la réponse dans le numéro qui suit le surlendemain de la réception. L'insertion doit être faite gratuitement à la même place et en mêmes caractères que l'article qui l'aura provoquée et sans aucune intercalation (1).

En vertu de principe de l'interprétation restrictive des textes de droit pénal, la jurisprudence a refusé d'étendre l'application de ce texte à la radiodiffusion comme le montre clairement la décision du tribunal correctionnel de la Seine, 1er février 1929, dans le jugement rendu dans l'affaire Privat contre Delamare et Fédération Radio-téléphonique (2).

A de nombreuses reprises, l'absence d'un droit de réponse organisé sur les ondes a soulevé des protestations de la part des personnes mises en cause dans des émissions.

En 1959, au Sénat (3) et à l'Assemblée Na-

---

(1) V. BIOLLEY, *Le droit de réponse en matière de presse*, L.G.D.J., 1963.
(2) *Gaz. Pal.*, 1929.1.316.
(3) Proposition Carcassonne, *Doc. Sénat*, annexe au P.-V. de la séance du 9 décembre 1959, n° 92.

tionale (1), des propositions de lois ont cherché
à étendre, en les adaptant aux émissions de radio
et de télévision, les dispositions de la loi du
29 juillet 1881.

La proposition Hersant prévoit ainsi que le droit de réponse
institué par l'article 13 de la loi du 29 juillet 1881 est applicable en matière d'émissions radiodiffusées ou télévisées.
Les directeurs des postes d'émission sont tenus de diffuser
les réponses de toutes personnes nommées ou désignées au
cours d'une émission dans les 48 heures de la réception de
leur demande. Ce délai est réduit à 24 heures en période
électorale. L'omission volontaire d'enregistrement des émissions télévisées ou radiodiffusées sera punie d'une peine de
six mois à un an de prison et d'une amende de 5 000 à 50 000 F,
de même que la destruction des bandes avant le délai de 30 jours
prévu. Le directeur général d'un poste de radiodiffusion ou de
télévision sera assimilé au directeur de la publication du
journal ou écrit périodique.

Une proposition analogue a été adoptée par le
Sénat le 8 juin 1967.

A l'étranger de nombreux pays ont institué le
droit de réponse.

Ainsi, en République fédérale allemande, le problème du
droit de réponse est réglé par le traité inter-Etats pour la
création du deuxième programme de télévision. Si, dans une
émission, des faits quelconques ont été affirmés, la ou les
parties intéressées peuvent réclamer la diffusion d'une « réponse » à cette affirmation. La demande doit en être faite
par écrit avec indication concernant l'émission en question.
Elle doit se limiter à des données réelles, ne doit pas contenir
de termes délictueux et doit être signée par les autres parties
intéressées. La réponse ne doit pas dépasser en substance la
durée ou la longueur de la partie incriminée de l'émission en
question. La demande doit s'adresser à celui qui a préparé
l'émission incriminée. L'obligation de diffuser la réponse
n'existe que et dans la mesure où la ou les parties intéressées
qui sont mises en cause dans l'émission incriminée ont un
intérêt légitime à la diffusion de leur réponse. La diffusion

(1) Proposition Hersant, *Doc. Ass.*, séance du 29 décembre 1959,
annexe n° 511, p. 15307.

de la réponse doit avoir lieu immédiatement sur le même territoire ainsi qu'à une heure équivalente à celle de l'émission incriminée sans additifs et sans coupures. Le droit de réponse peut être invoqué en justice devant les tribunaux ordinaires. Toutes les informations, les commentaires, les exposés et autres émissions parlées doivent être fidèlement enregistrées et conservées. Au bout de quatre semaines après la date de la diffusion, les enregistrements peuvent être détruits dans la mesure où il n'y a pas eu de réclamations. Si une réclamation a été faite, les enregistrements peuvent être détruits dès que celle-ci aura été réglée par décision, règlement judiciaire ou de toute autre façon.

2. **La responsabilité civile.** — La responsabilité civile de l'organisme de radiodiffusion du fait de ses émissions découle bien souvent de sa responsabilité pénale. Tel est le cas, dans l'hypothèse où il s'est rendu coupable d'une diffamation ou d'une injure. Mais, même en dehors de cette hypothèse, les programmes peuvent être, pour lui, une source de responsabilité. En règle générale, la plupart des droits étrangers admettent que la responsabilité de l'organisme de radiodiffusion se trouve engagée dans les conditions du droit commun. En France, sauf dans le cas exceptionnel où la responsabilité de l'autorité de tutelle se trouve engagée, c'est devant les juridictions judiciaires, sur le fondement des articles 1382 à 1384 du Code civil, que l'action en responsabilité doit être menée. Le plus souvent on invoquera la faute commise par l'entreprise de radiodiffusion dans sa fonction d'information ou la violation des droits de la personnalité.

A) *Fonction d'information et responsabilité civile.* — La fonction d'information de l'organisme de radiodiffusion doit être exercée avec prudence et vigilance. Sans doute, cet organisme doit-il disposer de la plus grande liberté dans ses commentaires. Mais cette liberté implique, en contrepartie, un examen très attentif par cette entreprise du contenu de ses émissions afin d'éviter que des erreurs préjudiciables aux tiers ne s'y glissent.

Dans un arrêt qui possède une portée générale, la cour de Paris (1) a décidé qu' « une entreprise cinématographique, comme toute entreprise d'information de quelque nature que ce soit, a l'obligation stricte de contrôler et de vérifier les informations qu'elle entend présenter au public et ne doit produire les documents qui lui sont remis qu'après s'être assurée de leur authenticité et de leur exactitude. » En l'espèce, l'entreprise avait attribué à un autre que son auteur la création d'un objet.

« Il importe donc peu, estime la cour d'appel, qu'une agence en laquelle l'entreprise cinématographique avait toute confiance lui ait communiqué le film et le texte qu'elle a distribués en vue de leur projection ; et l'on ne saurait s'arrêter à l'excuse tirée de la nécessité de renseigner rapidement le public : un tel moyen n'est pas plus admissible en matière cinématographique qu'en matière de presse. Si, par suite de sa négligence, il en est résulté quelque erreur préjudiciable à un tiers, la société cinématographique en doit réparation. »

La cour d'appel de Paris a été saisie d'un litige relatif à une information erronée diffusée par l'O.R.T.F. L'Office avait annoncé, au cours d'une émission du Journal télévisé du 28 mars 1965, que le quotidien *La République du Centre*, par suite d'une grève de ses rédacteurs, ne paraîtrait pas le lendemain, ce qui était inexact. Les responsables du journal soutenaient avoir subi un dommage très important, le nombre des invendus s'étant élevé pour le 29 mars 1965 à 9 500 exemplaires au lieu des 1 500 habituels. La cour, tout en estimant que les demandeurs n'avaient pas justifié leurs affirmations sur ce point, a condamné l'O.R.T.F. à

---

(1) 2 novembre 1957, *Rev. U.E.R.*, 1959, n° 54 B, p. 43.

leur verser la somme de 1 000 F en raison du préjudice moral résultant de la diffusion d'une information erronée (1).

B) *Droits de la personnalité et responsabilité civile.* — L'émission de radiodiffusion ou de télévision peut utiliser des acteurs
involontaires. Ce sont les personnes qui ont suscité un événement d'actualité ou y ont été mêlées, celles qui sont choisies
pour illustrer une émission (un concierge, un commerçant,
un professeur...). Ce sont également celles qui sont associées
à des événements que l'histoire a retenus et que l'émission se
propose d'évoquer, ou auxquels elle emprunte des traits de
caractère. Le hasard peut être également à l'origine de cette
mise en cause de tiers. Il s'agira alors de personnes qui se
trouvent porter le même nom que l'un des protagonistes de
l'émission ou encore de celles qui croiront se reconnaître dans
un des personnages de la séquence.

Dans toutes ces hypothèses, il s'agit de concilier les droits
de la personnalité des acteurs involontaires sans paralyser
l'activité créatrice de l'organisme de radio-télévision. Conci-
liation délicate et toute en nuances. Saisi par les auteurs involontaires eux-mêmes ou par leurs descendants, le juge se
garde bien de dégager des règles trop générales et tient compte,
avec beaucoup de minutie, des particularités de chaque espèce.

Une forme particulière de respect dû à la personnalité est
le respect de l'image de la personne. Il a conduit à la reconnaissance d'un droit dit *à l'image* qui comporte pour un individu
le pouvoir de s'opposer à la publication de son image sans son
consentement (2). Le projet de réforme du Code civil stipule
en ce sens : « En cas de publication, d'exposition ou d'utilisation de l'image d'une personne, celle-ci peut, à moins qu'elle
n'y ait consenti à l'avance, demander qu'il y soit mis fin. »

Ce droit est un droit de la personnalité dont on peut exiger
de la part des tiers le respect, même si la publication de l'image
n'est accompagnée d'aucune faute. L'étendue de ce droit est
contestée. S'il est certain que le droit à l'image interdit la
publication de l'image sans le consentement, on n'est pas sûr
qu'il permette également d'interdire la réalisation de l'image.
La jurisprudence ne s'est pas encore prononcée sur ce point.
Il serait souhaitable cependant d'admettre une telle compréhen-
sion large du droit à l'image.

En revanche, les limites sont apportées au droit à l'image

(1) V. *Le Monde,* 17 juin 1966.
(2) V. par ex. tr. civ. Seine, 16 juin 1858, *D.* 1858.3.62.

dans l'intérêt de l'information. Le droit de projeter tout ce qui est soumis à la vue du public est affirmé par la jurisprudence. Ainsi le tribunal de commerce de Nice, le 18 juin 1948, affirme « qu'il est de pratique constante, pour satisfaire aux besoins de l'information moderne, que les photographes comme les opérateurs de prises de vue d'actualité prennent les clichés de tout ce qui est soumis à la vue du public : cérémonies officielles, réunions sportives, spectacles de toutes sortes, etc., et qu'ils présentent ensuite ces clichés soit à la presse, soit aux éditeurs de films d'actualités, sans demander aux personnes photographiées une autorisation quelconque ».

De la même manière, l'activité publique de certaines personnes : hommes politiques, vedettes des arts..., peut être reproduite librement, « l'intéressé, en acceptant certaines fonctions, s'est exposé au jugement du public, ce qui l'oblige à se plier aux exigences de l'information ». Mais cette restriction du droit de l'image n'autorise pas la publication de films relatifs à la vie privée des personnages publics. Les photos prises au téléobjectif et qui cherchent à percer les secrets d'une vie privée ne sont donc pas autorisées.

LE STATUT INTERNATIONAL DE LA RADIO ET DE LA TÉLÉVISION

La radio et la télévision posent, en raison de leur nature même, des problèmes ne pouvant être résolus que dans un cadre international. Les techniques, de la radio aujourd'hui, de la télévision dans un très proche avenir, ignorent les frontières. Les ondes n'ont pas besoin de l'agrément des douaniers pour envahir des territoires distincts de l'Etat émetteur. Une discipline internationale de la radiodiffusion apparaît ainsi inévitable.

L'occupation unilatérale et désordonnée des ondes ne peut être admise. Le spectre électromagnétique utilisable est réduit. L'émission simultanée sur une même fréquence provoque des brouillages ou des interférences. Si on laissait la libre initiative s'exercer, l'anarchie régnerait car les prétentions à l'utilisation du spectre sont variées et nombreuses. La radio et la télévision de programmes à l'intention du public ne doivent pas compromettre les communications maritimes ou aériennes, les communications militaires ou civiles, le radioguidage, les liaisons avec les fusées et satellites artificiels. Le développement de la communauté internationale conduit des Etats de plus en plus nombreux à revendiquer des fréquences. L'importance de la

radio et de la télévision dans la vie publique conduit
à pratiquer en ce domaine un étroit nationalisme.
Tous les Etats veulent avoir leur propre réseau de
radio et de télévision et multiplier ensuite leurs
émissions sur de nombreuses longueurs d'onde. Ces
utilisations doivent être disciplinées.

Le contenu des programmes offerts doit également obéir à une législation internationale. Pouvant
être captées en dehors de l'Etat émetteur, les
émissions de radio et de télévision risquent d'être
utilisées dans ce dernier dans un but politique pour
mener une action de propagande contre ses voisins.

Le droit international doit, par conséquent, édicter des règles destinées à prévenir cette utilisation
par un Etat de la maîtrise des ondes pour mener
une guerre des ondes.

Le principe de la souveraineté de l'Etat s'est,
à l'origine, opposé à toute réglementation internationale. La souveraineté exclusive de l'Etat sur
l'espace aérien le surplombant, incontestée dans le
domaine de la navigation aérienne, emportait le
droit pour les Etats de prohiber toute intrusion
dans cet espace d'ondes hertziennes provenant d'un
Etat étranger. Ce principe absolu soutenu à l'origine
par les internationalistes (1) n'a pu être maintenu :
il méconnaît les lois de la nature qui, elles, permettent la libre circulation des ondes au mépris des
frontières. Sans doute, les Etats ont toujours tendance à soumettre les ondes au même régime que
l'espace qu'elles traversent, ce qui revient en fait
à affirmer la souveraineté exclusive de l'Etat
récepteur des émissions qui peut les appréhender par
voie de brouillage au moment où elles parviennent
sur son territoire ou de l'Etat émetteur qui utilise

---

(1) International Law Association, Vienne, 1926, Varsovie, 1928.

les ondes disponibles dans le cadre de ses prérogatives souveraines. Mais cette attitude est largement contrecarrée par deux phénomènes essentiels.

L'utilisation anarchique des ondes par les Etats
s'avère impraticable en raison de la multiplication
des émetteurs potentiels. Des organismes internationaux sont apparus pour rationaliser l'emploi
du spectre et, par là même, la liberté des Etats n'est
plus totale. D'autre part, les progrès techniques
permettent l'implantation d'émetteurs hors de la
souveraineté de l'Etat récepteur, sous une autre
souveraineté, ou dans un milieu échappant aux
souverainetés (haute mer, espace). Les Etats ne
peuvent plus s'en tenir à un brouillage national
imparfait, mal accepté par l'opinion et qui ne cor-
respond souvent pas à leurs intérêts : des accords
internationaux s'avèrent alors nécessaires pour réglementer ces émissions nouvelles. Une *réglementation internationale de l'utilisation des ondes* se substi-
tue à l'anarchie des souverainetés étatiques.

Le progrès des relations internationales en matière de radiodiffusion tend, sans porter atteinte à
cette police des ondes, à développer les échanges des
techniques et des émissions entre les Etats qui sont
liés par des affinités culturelles ou qui entretiennent
simplement des relations amicales : c'est la *coopération internationale* dans le domaine de la radiodiffusion.

Chapitre Premier

LA POLICE DES ONDES

Les organes internationaux se sont efforcés de réaliser une répartition équitable des fréquences entre les Etats. La fonction de l'Union Internationale des Télécommunications est essentielle.

L'U.I.T. est une organisation internationale spécialisée dans le domaine des télécommunications. En matière de radiodiffusion, son action principale vise à la répartition des fréquences et à l'enregistrement des assignations de fréquence, de façon à éviter les brouillages nuisibles et à améliorer l'utilisation du spectre.

La répartition des fréquences fait l'objet de conventions conclues sous les auspices de l'U.I.T. Quelques principes essentiels sont affirmés dans ces textes. Le Préambule de la Convention de Genève (1959) reconnaît sans doute le droit souverain pour chaque Etat de réglementer ses télécommunications, mais ce principe est limité par les conventions internationales répartissant les fréquences et par le principe selon lequel un Etat doit restreindre la puissance de ses stations à ce qui est nécessaire pour assurer un service national de haute qualité dans son territoire (Madrid, 1932).

Les progrès du droit international ont consisté à passer d'une occupation unilatérale des ondes incontrôlée à une occupation unilatérale de plus en plus contrôlée, mais qui diffère encore de la répartition autoritaire par accord international, laquelle a prévalu cependant dans des domaines limités.

I. — La répartition autoritaire

La répartition autoritaire par accord international n'est réalisée que dans des domaines limités.

La répartition des fréquences entre les divers services utilisateurs (communications maritimes, aériennes, spatiales, radio et télévision) a pu être effectuée sans trop de difficultés. En revanche, la répartition des fréquences en radio et télévision entre les divers Etats utilisateurs s'est heurtée à de très nombreux obstacles. Les négociations, ouvertes au lendemain de la seconde guerre mondiale, ont révélé un différend fondamental. L'U.R.S.S. qui avait occupé antérieurement de nombreuses fréquences entendait obtenir une consécration des priorités acquises avant guerre et annuler les fréquences assignées depuis. Les Etats occidentaux désiraient une redistribution des fréquences en fonction des besoins techniques. Les seuls accords réalisés portent sur la répartition des fréquences au-dessus de 3 950 kc/s (Genève, 1951) et sur un plan saisonnier des horaires des hautes fréquences (Genève, 1959). Les répartitions régionales ont eu plus de succès. La Conférence européenne de Copenhague (1948) attribue des fréquences correspondant à 136 canaux de 9 000 kc/s pour plus de trois cents stations. La Conférence européenne de Stockholm (1952, révisée en 1961) répartit les ondes métriques et les hautes et très hautes bandes de fréquences. Ces accords ne sont pas rigoureusement respectés.

II. — L'occupation unilatérale contrôlée

A l'origine, les Etats occupent les fréquences et se contentent de notifier cette occupation aux organisations internationales dans un but de *publicité* : la Convention de Washington (1925) prévoit la notification des fréquences par les administrations au Bureau International des Fréquences. Tirant argument de cette notification, certains Etats tentèrent de faire prévaloir un droit de priorité sur les fréquences notifiées, mais les conférences internationales rejettent cette conception. L'idée apparaît que l'occupation unilatérale ne crée pas, à elle seule, le titre et que le contrôle par un organisme international s'impose. La Convention d'Atlantic City (1953), remaniée à Genève en 1959, a donné naissance au *Comité international d'enregistrement des fréquences.*

Le Comité est un organisme technique composé de onze membres choisis, en raison de leur compétence, par les conférences internationales. Il dresse un fichier de référence internationale des fréquences. Ce fichier tient compte des répartitions internationales ou régionales en vigueur et des notifications effectuées par les Etats. Celles-ci ne sont pas prises en considération si elles violent des accords internationaux ou risquent de causer un brouillage nuisible. Dès lors qu'une assignation de fréquence est régulièrement inscrite au fichier elle a « droit à la protection internationale contre les brouillages nuisibles ».

Le Comité peut annuler les assignations fictives ou inactives : il peut ainsi lutter contre les activités d'Etats qui, pour réserver l'avenir, accaparent des fréquences dont ils n'ont pas l'utilisation immédiate ou qu'ils abandonnent après les avoir utilisées. En revanche, le Comité n'a aucun pouvoir exécutif pour contraindre un Etat à ne pas émettre dans une fréquence non inscrite. L'Etat lésé par des émissions dommageables ne peut que mettre en jeu la responsabilité internationale du pays, siège des émissions. Il arrive aussi qu'il soit tenté de se faire justice en ordonnant le brouillage des émissions qui traversent son espace (tel a été le cas en France dans l'affaire de Radio-Andorre) (1).

III. — Les postes pirates

Depuis 1958, une nouvelle forme de piraterie est apparue, la piraterie des ondes. Les *postes pirates* sont des stations commerciales de radiodiffusion installées dans la haute mer ou l'air la surplombant à bord de navires, d'aéronefs ou de tout autre support. Le but recherché par les pirates est le profit commercial, il s'agit pour eux de drainer la publicité. L'existence d'un marché publicitaire inexploité constitue la condition *sine qua non* d'existence des postes pirates. Installés dans un milieu échappant aux souverainetés étatiques, ils prétendent se soustraire à l'application des lois nationales et, notamment, à celles qui édictent des monopoles dans le domaine de la radiodiffusion.

La nocivité de leur action ne peut être contestée. Hors la loi nationale, les pirates, par des émissions de bas niveau, font une concurrence déloyale aux organes légaux. Ils violent également la loi internationale : aucune fréquence ne leur étant légalement attribuée, ils émettent dans des fréquences réservées à d'autres Etats et peuvent ainsi provoquer des interférences.

Les Etats se sont trouvés cependant désarmés

---

(1) 2 février 1950, Radiodiffusion Française contre Société de Gérance et de Publicité du poste Radio-Andorre, *Rev. dr. publ.*, 1950.418, note WALINE, concl. ODENT ; *J.C.P.*, 1950.II.5542, note RIVERO.

face à leurs agissements. Sans doute, les stations
d'émission se trouvant installées généralement à
bord de navires, la responsabilité de l'Etat du
pavillon pourrait-elle être mise en cause. Mais, le
plus souvent, l'immatriculation se fait dans des
pays qui n'ont pas adhéré aux conventions internationales sur les télécommunications. Au surplus,
certains postes sont installés en haute mer sur des
îles artificielles et aucun Etat n'a une compétence
territoriale lui permettant de mener une action de
contrainte à leur encontre. Les organismes internationaux se sont efforcés de promouvoir des mesures
permettant de lutter efficacement contre les postes
pirates. A la suite de l'action conjointe de l'Union
Européenne de Radiodiffusion et du Conseil de
l'Europe, un Accord européen pour la répression
d'émissions de radiodiffusion effectuées par des
stations hors des territoires nationaux a été élaboré
(décembre 1964). En vertu de cet accord, chaque
Etat contractant s'engage à prendre les mesures
nécessaires en vue de réprimer comme infractions
l'établissement et l'exploitation des stations pirates
ainsi que tous les actes de collaboration permettant
le fonctionnement de ces postes (fourniture, entre-
tien, réparation du matériel, fourniture d'approvi-
sionnement, commande de publicité, prestations
artistiques...). Cet accord, ratifié par la France en
novembre 1967, permet d'asphyxier les postes pirates en les privant de leurs ressources publicitaires
et de leurs moyens matériels.

Les effets bénéfiques de son application ont été particulièrement nets en Grande-Bretagne. En 1966, les radios pirates
avec vingt-cinq millions d'auditeurs avaient réalisé plus de
deux millions de livres de chiffre d'affaires. Conformément à
l'Accord européen, une loi du 15 août 1967 qui autorise la
justice anglaise à rechercher et à poursuivre les annonceurs
publicitaires des radios pirates est venue à bout des pirates.

Ceux-ci ont eu cependant une récompense morale : la B.B.C. a copié leur style et créé une chaîne « pop ». L'Accord ne résout cependant pas tous les problèmes. Six pays membres du Conseil de l'Europe ne l'ont pas signé. Parmi eux figurent la Suisse et l'Autriche. Ce sont des pays continentaux certes, mais leurs nationaux peuvent très bien effectuer à l'égard des stations pirates des actes de collaboration qui dès lors ne pourront être réprimés. D'autre part les Etats-Unis ne sont pas partie à l'Accord. Les entreprises américaines risquent ainsi d'être tentées d'utiliser les stations pirates pour inonder l'Europe de publicité concernant leurs produits.

Les Etats scandinaves sont allés plus loin dans la répression des activités pirates. Des lois votées par leurs Parlements sont déclarées applicables, contrairement aux règles classiques du droit international, aux navires étrangers en haute mer.

En Norvège, une loi du 22 juin 1962 interdit d'établir ou d'exploiter une station ou des installations de radiodiffusion à bord d'aéronefs ou de tout objet flottant ou aéroporté en haute mer ou dans l'espace aérien au-dessus de la haute mer si l'émission est destinée à être reçue en Norvège, au Danemark, en Finlande ou en Suède ou si l'émission cause du brouillage à la réception de radio-communications dans ces pays.

Chapitre II

LA COOPÉRATION INTERNATIONALE

La radiodiffusion peut favoriser le rapproche-
ment international, son utilisation peut également
provoquer des conflits. Le droit international doit
s'efforcer d'organiser la coopération des pays émetteurs et de prévenir toute utilisation belliqueuse de
la puissance radiophonique ou télévisuelle.

I. — Les structures de la coopération

La plupart des organisations internationales uni-
verselles telles l'O.N.U. ou l'Unesco s'intéressent
aux problèmes de radiodiffusion. La coopération
est cependant mieux établie sur le plan régional
entre des pays qu'unit une affinité de culture. En
Europe, l'Union Européenne de Radiodiffusion,
constituée le 12 février 1950, remplit un rôle essentiel. Elle s'efforce de régler les problèmes juridiques
d'ordre interne ou international en matière de radio
et de télévision. Sur le plan technique, elle coor-
donne les recherches et diffuse toutes les connaissances nouvelles. Son rôle essentiel est de préparer
les *transmissions internationales* et les *échanges de
programmes ou de nouvelles* et de veiller à leur

réalisation pratique. Sa principale activité en ce domaine se déroule dans le cadre de l'accord *Eurovision*. Pour réaliser cette coopération, il a fallu vaincre des obstacles *techniques* : tous les pays n'ont pas les mêmes normes en usage (nombre de lignes différent) ou les mêmes appareillages. On a dû, également, affronter des obstacles *juridiques* : établir des accords entre des organismes dont la nature juridique varie selon les pays, entre des Etats qui ne connaissent pas les mêmes règles relatives au droit d'auteur. Le problème de la répartition des charges *financières* de l'opération entre des pays aux ressources différentes a aussi préoccupé les négociateurs. Le résultat est un système d'échanges remarquable entre les pays européens. Les Etats socialistes ont leur propre organisation de coopération, l'Organisation Internationale de Radiodiffusion et Télévision, et leur système d'échange de programmes (Intervision).

La possibilité d'un échange *mondial* des programmes est apparue grâce à l'emploi des satellites qui ont permis la télévision transatlantique ou transpacifique. Des accords internationaux règlent l'utilisation de ces satellites par les organismes de radiodiffusion. Cependant, des problèmes importants subsistent en raison de la domination des compagnies privées américaines (l'accord Intelstat signé le 19 août 1964 leur donne 58 % des actions du consortium international, la France n'en détenant que 5,8 %). A de nombreuses reprises les entreprises de radiodiffusion ont protesté contre le prix exorbitant du service fourni. On peut supposer néanmoins que ces conflits trouveront rapidement une solution. L'essor des échanges de programmes exige cependant une réglementation internationale précise qui fait jusqu'ici, en grande partie, défaut.

II. — Les règles juridiques de la coopération

La libre circulation des programmes est fondamentale pour l'épanouissement de relations internationales amicales. Elle permet également l'exercice effectif de la liberté d'information. C'est pourquoi la Déclaration universelle des droits de l'homme stipule que :

« Tout individu a droit à la liberté d'opinion et d'expression, ce qui implique le droit de ne pas être inquiété dans ses opinions et celui de chercher, de recevoir et de répandre, sans considération de frontière, les informations et les idées par quelque moyen que ce soit. »

La Conférence générale de l'Unesco a, en 1948, recommandé à tous les Etats membres de faire en sorte que soit reconnu à tout citoyen le droit d'écouter librement les émissions radiophoniques en provenance d'autres pays. Dans le même sens, l'Assemblée générale de l'O.N.U. a condamné le brouillage, « toute mesure de cette nature... étant une négation du droit, pour tout individu, d'être pleinement informé des nouvelles, des opinions et des idées, sans considération de frontières ». Malgré ces dispositions, les Etats totalitaires ont toujours la tentation d'empêcher la réception d'émissions étrangères soit en perturbant les stations suspectes, soit en menaçant de sanctions pénales les auditeurs se trouvant sur leur territoire.

Mais il y a plus grave : aucune réglementation internationale efficace du contenu des programmes n'existe. Or, celle-ci est particulièrement nécessaire. Un Etat peut être tenté d'utiliser la radiodiffusion pour toucher l'opinion publique de pays étrangers afin d'y susciter des bouleversements politiques. Cet appel au peuple par-dessus les frontières, véritable agression radiophonique, peut

provoquer des conflits graves. La Convention de
Genève (1936) stipule sans doute que les pays
signataires s'engagent

« à empêcher et, le cas échéant, à faire cesser sans délai, sur
leurs territoires respectifs, toute émission qui, au détriment
de la bonne entente internationale, serait de nature à inciter
les habitants d'un territoire quelconque à commettre des
actes contraires à l'ordre intérieur ou à la sécurité d'un territoire d'une Haute Partie Contractante » et « à veiller à ce que
les émissions... ne constituent ni incitation à la guerre, ni
incitation à des actes susceptibles d'y conduire ».

Mais cet accord, ratifié par vingt Etats, ne l'a
été ni par l'U.R.S.S., ni par les Etats-Unis et chacun
de ces pays a développé des stations qui ont pour
but de saper les fondements idéologiques du régime
de l'autre. La situation est appelée à s'aggraver dans
un proche avenir. Jusqu'ici des obstacles techniques
limitent, en dehors des zones frontalières, la diffusion des émissions de télévision. Les satellites transmettent les émissions sur les écrans de télévision
grâce à un relais terrestre et les Etats peuvent ainsi
exercer un contrôle sur la nature des transmissions.
Les progrès de la technique spatiale laissent cependant prévoir la possibilité d'une transmission des
émissions *directement* des satellites aux foyers des
téléspectateurs. Une réglementation internationale
du contenu des programmes s'impose si l'on ne
veut pas voir des Etats tenter d'utiliser, dans un
sens hostile, la force télévisuelle.

CONCLUSION

Ces quelques pages montrent qu'il n'est pas impossible au juriste de construire un droit de la radio et de la télévision. Mais l'imagination juridique n'est pas tout. Si le droit de la radiodiffusion doit être construit de manière à assujettir la radiodiffusion au service de la société, il est aussi, inévitablement, modelé sur les caractéristiques fondamentales du pays pour lequel il est édifié, de sa philosophie politique ou religieuse, de son état culturel, de son degré de développement. Les citoyens ont le droit de la radiodiffusion qu'ils méritent. Il leur appartient de mériter un statut démocratique et d'en imposer le respect aux gouvernants. Seule une morale de la radiodiffusion permettra à ce droit nouveau d'être perfectionné et respecté.

BIBLIOGRAPHIE SOMMAIRE

DEBBASCH (Ch.), *Traité du droit de la radiodiffusion (radio et télévision)*, L.G.D.J., 1967.

DILIGENT (A.), *Rapport des travaux de la commission de contrôle chargée d'examiner les problèmes posés par l'accomplissement des missions propres à l'O.R.T.F.*, 2 tomes, Documents du Sénat, 1968, n° 118.

PIGE (F.), *Le statut de la télévision*, Presses Universitaires de France, 1962.

TABLE DES MATIÈRES

TROISIÈME PARTIE

LE STATUT INTERNATIONAL DE LA RADIO ET DE LA TÉLÉVISION

1969. — Imprimerie des Presses Universitaires de France — Vendôme (France)

ÉDIT. N° 30 678   IMPRIMÉ EN FRANCE   IMP. N° 21 443